# Amen, Dyn Pren

## Difyrrwch ein hiaith ni

**Gwilym Tudur**
a
**Mair E. Jones**

Cartwnau
**Tegwyn Jones**

Gwasg
Gwynedd

*Argraffiad Cyntaf — Medi 2004*

ISBN 0 86074 202 4

*Cyhoeddwyd ac Argraffwyd
gan Wasg Gwynedd, Caernarfon*

# Cynnwys

Hwyl a Hamdden ............................ 17

Amser a Gofod .............................. 30

Chwarae Plant ............................... 40

Byw a Bod ................................... 65

Pryd a Gwedd a Ballu ....................... 84

Cerydd a Dadl ............................... 101

O Gwmpas y Lle ............................. 128

O Gwmpas Gartref ........................... 144

Bwyd a Diod ................................. 154

Iechyd Pobl ................................. 173

Iechyd Anifail .............................. 187

Caru a Rhyw ................................. 190

Byd Natur ................................... 195

Ffarmio a Garddio ........................... 211

Tywydd a Thymor ............................. 230

Hen Goelion ................................. 241

Hen Lwon .................................... 259

# Rhagair

Mae'r diweddar Athro Bedwyr Lewis Jones eisoes wedi cyhoeddi llyfryn ar eiriau a dywediadau, *Blas ar Iaith Llŷn ac Eifionydd*, Carreg Gwalch, 1987. Oherwydd perthynas deuluol roedd ei bwyslais ef yn tueddu at Ben Llŷn; teimlo roeddem ni y byddai'n werth gwrando'n benodol ar sgwrs y pen yma yn Eifionydd, gan sôn weithiau am y bobl eu hunain. Fel y dywed Bedwyr, tafodiaith Gwynedd ydyw hon – a'r Gogledd yn gyffredinol yn amlach na pheidio – ac ni allwn ninnau honni bod y cynnwys yn unigryw i'r fro, dim ond i ni ei glywed yno. Hynny ar y cyfan yng nghyffiniau godre gorllewin y cwmwd, sef yn fras rhwng afon Dwyfor ac afon Erch, gan fynd dros yr olaf i Lŷn weithiau – wedi'r cyfan, fan'no mae'r Dre, Pwllheli. (Ceir mapiau a disgrifiad o lên a llefydd yr ardal yn *Eifionydd, Cyfres Broydd Cymru*, Guto Roberts, Carreg Gwalch, 1998.)

Un nodwedd arbennig o lyfr Bedwyr oedd ymadroddion cyfoethog bywyd y môr o Lŷn, prawf o gyfraniad llongwyr a physgotwyr i fywyd y penrhyn o Bwllheli hyd borthladdoedd bach fel Abersoch, Porthdinllaen a Nefyn. Bro'r glannau ydi Eifionydd hefyd sydd wedi magu llawer iawn o forwyr yn hwylio o harbwr enwog Porthmadog. Ond ac eithrio Cricieth, prin bod yma 'run hafan arall i 'longwr iawn ar fflat Huw Puw', a bu amaethyddiaeth yn bwysicach erioed na masnach y môr, yn sicr erbyn ein cenhedlaeth ni. Magwraeth ar dyddyn (Bryndewin, Chwilog) yw'n cefndir ninnau, mewn cymdeithas â'i harferion a'i hiaith ar y pryd yn syml a gwledig.

Mae'n syn felly gynifer o'n geiriau oedd yn tarddu o'r Saesneg. Dim gwahanol i weddill Cymru, wrth gwrs, ond mwy nag a ddisgwyliech. Mae'r rhan fwyaf ohonom yn medru cofio hen ardalwyr oedd yn dal i bob diben yn uniaith Gymraeg. Sut felly roedden nhw'n mynnu dweud gair fel siefio, dyweder, yn hytrach na'r hen air eillio? Yn enwedig ganol y ganrif cyn siarad fawr ddim â Saeson erioed, ac amryw byth yn mynd i'r pictiwrs nac yn cadw fisitors! Nid yw hyn yn beth newydd chwaith. Cymerwch air bach fel 'ffrïo': mae Geiriadur Prifysgol Cymru yn olrhain hwnnw'n ôl i'r bymthegfed ganrif. Ar y llaw arall, dengys y geiriadur (sydd newydd ei gwblhau yn bedair cyfrol gynhwysfawr) gymaint o eiriau Saesneg eraill a fu unwaith yn ffasiynol yn Gymraeg ond sydd bellach wedi diflannu.

A dyna'r ateb i'r dirgelwch – ffasiwn! Mae llawer o gymeriad a lliw sgwrs yn fater o ffasiwn, sef o fod eisiau efelychu rhywun grymus, llwyddiannus eu masnach a'u diwylliant. Buom gynt yn benthyg o iaith y concwerwyr, Lladin a Ffrangeg, a dyna wnaeth y Saeson hwythau. Yn yr un modd, *guys*, y mae Americaneg mor ffasiynol yn Lloegr heddiw – ar y cyfryngau, o leiaf. Mae'n naturiol i ni fynnu cael cyfryngau ffasiynol y teledu a'r We, a phapur dyddiol gobeithio yn ein hiaith ein hunain, ond rhaid derbyn mai parhau i godi ac addasu geiriau diarth a wnaiff y Cymry yr un fath, fel pob cenedl arall. Mae yna ben draw ar fenthyg, wrth gwrs, er nad yw'n hawdd dweud beth yw bratiaith na lle mae'r ffin rhwng datblygiad a dirywiad.

Dim ond briwsion allwn ni roi i gyfleu siarad y Cymry go iawn, pobl fel Kate Rowlands (gw. llun). Nid yw'r cynnwys i gyd mor wreiddiol â sgwrs pobl fel hi chwaith. Cafodd rhai geiriau a dywediadau digon cyffredin le er mwyn gwneud rhyw sylw neilltuol yn eu cylch neu am eu bod yn ategu dywediad arall. Dim ond yn achlysurol y gwnawn hynny drwy ddyfynnu o lyfr. Fel y soniwyd, deunydd a glywsom ar lafar a geir yma, ac er mwyn iddo – gobeithio – fod yn damaid o ychwanegiad at ein llên gwerin, rydym wedi ymatal rhag codi deunydd lleol o gylchgronau fel *Llafar Gwlad* a *Fferm a Thyddyn*.

Mi sylwch ein bod yn cynnwys ychydig o ddywediadau y gellid eu hystyried braidd yn amharchus, yn wir yn aflednais. Eithr byddai adrodd pethau neis yn unig yn gamarweiniol, fel y darlun rhamantaidd o werin ddiwylliedig a bortreadwyd gan lenorion moesol ers canrif a hanner. Yr hyn y ceisiwn ei wneud drwy'r llyfr yw dal drych ar gymeriad ac arferion y gymdogaeth drwy gyfrwng yr iaith liwgar y magwyd ni yn ei chlyw cyn mewnlifiad Saesneg anfaddeuol chwarter olaf yr ugeinfed ganrif.

Mae llawer o'r deunydd yn hynafol, iaith hen ffermwyr ac amryw byd o byblicanod a phechaduriaid, ac ambell sant hefyd. Ond yr un pryd, ceir yma bethau byw ein hieuenctid ni. Mi gafodd hanner y dywediadau eu hel at ei gilydd gyntaf ddeugain mlynedd union yn ôl! Gwneud rhestr ddigon carbwl a wnaethom yn ystod gaeaf 1963–64 a'i hanfon i gystadleuaeth yn Eisteddfod Genedlaethol Abertawe, 1964. Erbyn ailafael ynddo o ran ymyrraeth tua'r Nadolig 2001 roedd yr hen gasgliad wedi melynu'n arw, ond bu'n amheuthun ei gael; mae'n syndod faint ohono oedd wedi mynd yn angof llwyr.

Os ydi'r araith o'r herwydd yn swnio'n hen ffasiwn weithiau, wel gorau oll! Dim ond iaith farw sydd byth yn newid. Mae pob seler win dda yn cadw a dangos pigion ffrwyth y gorffennol yn amlwg yng nghanol y diodydd newydd sydd ynddi, ond mae'n rhaid i'r iaith newid yn gyson i oroesi. Mae iaith yn datblygu ar bapur hefyd, gyda llaw (a bellach ar y We) – nid ar lafar yn unig. Un o awduron yr ardal a lwyddodd i gostrelu'r hen a'r newydd yw Wil Sam, sy'n medru troi gair yn ddihareb efo'i glust fain a'i ddychymyg. Mae awduron ieuengach dyfeisgar fel Twm Morys wrthi'n ystwytho cymalau'r heniaith, ac yn ogystal â'r theatr, y cyfryngau a'r wasg, da gweld papurau bro creadigol fel *Y Ffynnon* yn darparu llwyfan i sgrifenwyr yn yr iaith gyfoes.

Mae gan bob cenhedlaeth ei hiaith arbennig ei hun, felly. Serch hynny, lled-obeithiwn bod yna ryw hen bethau yn y llyfr yma all gael adfywiad a hawlio'u lle mewn Cymraeg bachog balch ar wefusau rhyw deulu bach arall o Frythoniaid. Daliwn i gredu!

GWILYM, LLEDROD, ABERYSTWYTH
MAIR, LLWYNHUDOL, PWLLHELI
Gwanwyn 2004

# Gair o Ddiolch

Mae llyfr fel hwn yn rhwym o fod yn gymaint o bortread o dylwyth ag ydyw o ardal. Dylem gydnabod mai ffynhonnell llawer o'r detholiad gwreiddiol yn 1964 oedd ein tad, Robert William Jones, heb anghofio'n hannwyl fam, Maggie (Griffith) a fu farw'n ifanc yn 1952. Cawsom help ein brawd Robin a'i briod Renee, a chyfraniad sylweddol gan ein brawd arall Huw, sy'n dal i ffarmio'r hen gartref. Diolch iddo fo am aml i stori hefyd, i'n cefnder Gwyn Jones a'i fam Grace am docyn o straeon ac atgofion, ac i Gwyn a saer arall, Eryl Jones, Ty'n Giât am fanylder y disgrifiad o goed y to yn adran 'O Gwmpas y Lle'. Diolch i'n chwaer Nan ac i Megan am bob cefnogaeth (hynny ydi, am beidio 'laru gormod).

Ni wnaethom ymdrech fel y cyfryw i hel deunydd gan deuluoedd eraill – byddai'n annaturiol braidd, ac yn niwsans i bawb – ac eithrio cael help i gofio chwaraeon y genethod gan hen gyfeillion caredig o Chwilog a'r cyffiniau. Bargen annisgwyl oedd clywed am rai o gemau Abererch a Llanystumdwy yn ogystal. Ffynhonnell yr olaf yn naturiol oedd Lora Roberts (gallai hi neu Wil Sam eu hunain lenwi cyfrol fel hon), a rhaid crybwyll cyfraniad amrywiol ar y munud olaf gan ddyrnaid ffeind o griw Lora ar drip *Y Ffynnon* i Dun na nGall (Donegal), Medi 2003. Gobeithio y cawn faddeuant pawb arall a enwir, neu eu teuluoedd, am ddefnyddio'u perlau!

Rydym yn ddyledus i Tegwyn Jones, y cartwnydd penigamp, am ei ddehongliadau difyr a bachog, ac i Islwyn Williams, dylunydd y Wasg, am lunio'r rhan fwyaf o'r brasluniau. Diolch hefyd i bawb a fu mor barod i ganiatáu inni ddefnyddio lluniau o'u heiddo.

Yn olaf, diolch i Wasg Gwynedd a'r golygydd diflino Nan Elis am eu hanogaeth a'u gofal creadigol, ac iddi hi a Non Tudur am eu gwelliannau, er mai ni sy'n gyfrifol am unrhyw gamgymeriadau.

## Lluniau

Bu'r cyfeillion isod yn garedig iawn yn rhoi lluniau i ni (a diolch i eraill am rai nas defnyddiwyd). Nhw piau'r hawlfraint neu'r gofal am y lluniau hyn.

Edward Elias, prifathro Ysgol Chwilog: athrawon a phlant 2001.

Nan Elis, Hafryn, Llwyn Hudol, Pwllheli: y lluniau cyfoes – enwau'r ysgol x 2, y Lôn Goed, pen isa'r pentref, a'r ffarm.

Roger Joanes, Joanes Publ., George Nympton, South Molton, Dyfnaint: llun ei frawd Derrick Joanes o orsaf Afon-wen, 1962.

Grace Jones, Trygarn: yn ei het.

Gwyn Jones, Minafon: ar y car llifio.

Helena Vaughan Jones, Cefn Gwyn: plant Ysgol Chwilog, 1936.

Hufenfa De Arfon Cyf.: y lorri, y tancer, a'r gweithlu – diolch i Gwenda Pritchard am ei chymorth.

Osborn Jones, Gwernafalau, Llandwrog: John Preis x 2.

Llyfrgell Genedlaethol Cymru (Casgliad Geoff Charles): Gwynfor Griffith y saer – diolch i Siôn Jobbins, ac i Mair Roberts, Preswylfa, Y Ffôr a ddarganfu'r copi o'r *Cymro*.

R. Gwynfor Roberts, Llannerch, Rhodfa'r Ficerdy, Llandudno: ei daid, Robert Jones, Frondeg x 2.

Lora Roberts, Llanystumdwy: â'i pharasôl, a cherdyn post Llanystumdwy.

Ken Robinson, Minffordd, Penrhyndeudraeth: llun Steve Coulson o orsaf Afon-wen, 1963.

Eiddo teuluol yw'r gweddill.

## Ffurfiau

• Mae'r eitemau yn dilyn trefn yr wyddor yn fras gan anwybyddu'r fannod *y* ac *yr*.

• Yn amlach na pheidio hefyd mae'r drefn yn golygu mynd heibio'r mân eiriau ar ddechrau eitem: *cyn, ei, fel, hen, mae, mi, mor, wedi, yn* ac ati.

• Rydym yn hepgor y collnod yn rhannau cyfoes cyfarwydd y ferf bod: *does, dwi, dwn, dwyt, dydw, maen nhw, roedd, rwyt, rydw, ydyn* etc. Ond ceir collnodau yn y ffurfiau llafar eraill er eglurder i ddarllenwyr sy'n ddiarth i'r dafodiaith.

• Defnyddir prif lythyren ar gychwyn brawddeg gyflawn.

• Nid ydym wedi cynnwys llawer o ddiarhebion. Clywir rhai da ar lafar o hyd ond bu raid gadael allan amryw o hen ffrindiau cyfarwydd. Cynhwysir rhai i ategu rhyw ddywediad. Os ydynt wedi eu cyhoeddi yn barod mewn llyfrau diarhebion, cawsant eu rhoi mewn cromfachau (fel hyn). Nid oes cromfachau am ddywediadau na chawsant eu cyhoeddi yn y ffurf honno o'r blaen. (Y casgliad mwyaf o ddiarhebion Cymraeg yw *Diarhebion Cymru*, William Hay, Gwasg y Brython, 1955, sydd allan o brint.)

# Byrfoddau

GPC = *Geiriadur Prifysgol Cymru*. Mae seren* wrth air neu o flaen cymal yn golygu na allem ganfod y ffurf neu'r ystyr hwnnw ynddo. (Rydym yn ddyledus i'r Geiriadur am ei ffynonellau dihysbydd a'i oleuni llydan ar eiriau go annelwig.)

*(Rhai ffynonellau)*: M.C. = Margaret Cadwaladr, Tryfan, Llwynhudol; O.W.E. = Owen William Elias (Now), Cefnrhosgyll; Rh.E. = Rhian Ellis, Waunfawr; S.E. = Sulwen Edwards, Pen-y-bryn; A.G. = Annie Griffith, Llwyn Onn, Llangybi; H.G. = Huw Griffith, eto; R.G. = Dic Griffith, Penrhos; W.G. = Wmffra Griffith, Beudy Newydd;

D.J. = Dora Jones, Rhoslan; E.J. = Elwyn Jones, Modurdy Pandy; G.H.J. = Glenys Hughes Jones, Pen-y-groes; G.J. = Grace Jones, Trygarn; G.V.J = Gwilym Vaughan Jones, Penbryn, Pencoed; G.Js = Gwyn Jones, Minafon; H.E.J. = Huw Ellis Jones, Bryndewin; H.V.J. = Lena Vaughan Jones, Cefn Gwyn; I.J. = Ioan Jones, Derwen; J.E.J. = John Emrys Jones, Tremadog; J.J. = John Jones, Bodowen, Llangybi; J.Jns = John Jones, Llaindelyn, Bryncroes; J.Js = John Jones, Tŷ'r Ysgol, Llanarmon; M.J. = Maureen Jones, Modurdy Pandy; O.P.J. = Osborn Pierce Jones, Llandwrog; R.D.J. = Robin Jones, Siop Eifionydd, Porthmadog; R.J. = Renee Jones, eto; R.Js = Robat Jones, Frondeg (gw. adran Hwyl a Hamdden); W.J. = William Jones, Bryngwynt; W.L.J. = William Lloyd Jones (Wil Pandy), Llys Elphin; W.S.J. = Wil Sam, Rhoslan;

R.Ll. = Richard Lloyd, Castellcoed; J.O. = John Owen, Tyngors, Llanarmon; Emlyn P. = Emlyn Parry, Porthmadog; K.R. = Kate Rowlands, Drefain, Y Ffôr; L.R. = Linor Roberts, Pwllheli; R.G.R. = R. Gwynfor Roberts, Llandudno; T.R. = Thomas Roberts, Soar Villa, Llanarmon; E.T. = Y Parch. Emrys Thomas, Caernarfon; M.T. = Meilyr Tomos, Caernarfon; D.W. = Debbie Williams, Porthmadog; E.W. = Ellis Williams, Cwm Pennant a Phenmorfa a Phwllheli; E.Ws. = Efa Williams, Llanystumdwy; K.W. = Katie Williams, eto;

(Eto, ar drip *Y Ffynnon*): M.A. = Marilyn Adams, Dolwen; O.A. = Owen R. Adams, eto; R.D. = Robert Davies, Bryncir; E.E. = Elsie Evans, Porthmadog; I.E. = Ieuan Evans, eto; A.W.J. = Anna Wyn Jones, Llanystumdwy; D.P. = Dafydd Parry, Tal-y-bont; Emyr P. = Emyr Parry, Llanaelhaearn; R.P. = Richard Parry, Gwindy, Llecheiddior; G.R. = Gwion Roberts, Llanystumdwy; L.A.R. = Lora A. Roberts, eto; I.W. = Ifan Williams, Abererch.


Os na ddywedir yn wahanol, yn ardal Chwilog y mae'r llefydd a enwir.

# Hwyl a Hamdden

Ceir rhyw bethau fel hyn ym mhob ardal, ond maen nhw'n werth eu cofnodi pe bai ond i atgoffa'n gilydd fel y gall yr hen iaith fod yn gymaint mwy o hwyl i ni na'r Saesneg! Mae'r rhan fwyaf ohonom bellach yn gweld y diwylliant torfol Saesneg Americanaidd cyfoes yn fwy diddorol, ar y cyfan. Eto, pan fydd dramâu cyfres a rhaglenni difyr ar S4C, a rhaglenni plant da, dyna fyddwn ni'n dewis ei wylio. Mae'r un peth yn wir yn aml am y byd canu poblogaidd a'r fasnach lyfrau, ac am y theatr. Ni allai'r pantomeim Saesneg gorau gystadlu â phanto Felinfach am serch y Cardis. Cenedl fechan iawn ydym ond mae'r Cymry yn dda am drin iaith, ac mae iaith y Cymry yn un dda! Felly dathlwn yr hen eiriau bach, y concrid disylw yn adeilad ein diwylliant.

**Amen, dyn pren,**
**Sticio mochyn yn 'i ben**
Rhigwm plant ar ddiwedd y weddi yn y capel. Mae'r ail linell yn estyniad o'r gyntaf, a dywediad yw hwnnw wedi gorffen rhyw dasg o'r diwedd – fel y llyfr yma!

**Maen nhw'n ansbaradigaethus\*, hogia' bach**
Ansoddair cellweirus am beth annisgrifiadol o hynod neu annerbyniol, fel tîm pêl-droed â dim siâp arno.

   **bondibethma\*** Enw aml-bwrpas tebyg am rywbeth na thrafferthwn ei ddisgrifio. Cyfuniad soniarus o bondi-grybwyll a beth'ma.

**ca'l barfas\*** 'Hwyl' gan dad neu ewythr yn rhwbio gên flewog gras ar foch tyner bachgen bach. 'Gym'i di farfas?' fyddai'r cwestiwn. Dim diolch, roedd hi'n brifo!

**\*ca'l we / mynd am we** Cael hwyl, amser da, neu weithiau fynd am drip. O'r S. *away*, tybed?

**cymowta** Crwydro. Addasiad o iaith ddiarth ffasiynol! S. *come out.*

**d'wrnod i'r brenin** Cymryd pwt o wyliau neu hoe answyddogol.

**hel 'i thraed** Mynd i grwydro. 'Mae hi wedi hel 'i thraed i r'wla.'

**hel tai** Treulio gormod o amser yn nhai pobl eraill.

**jolihoitian** Mynd i gael amser da.

**mynd ar sgawt**

**mynd i drampio** Mynd am dro yn ddigyfeiriad i ymweld â hwn a'r llall.

**Mi 'nawn ni'r casgliad yn bresennol at y Symudiad Symosodol** Richard Thomas, Y Fron yn cyhoeddi yn y Capel Uchaf at achos da y Symudiad Ymosodol. Yn wir, aeth hwn yn ddihareb a dyfodd maes o law yn **Symu*sod*iad Symosodol**! Mae llithriad fel hyn yn aml yn swnio'n well o lawer na'r gwreiddiol, a dyma ambell un arall:

**beic newydd ail law** Dywediad geneth a arferai gerdded i Ysgol Chwilog o Frynbachau, pan gafodd hi feic o'r diwedd. Mae'r teulu yn dal i'w hatgoffa am ei disgrifiad o'r trysor hwnnw! (L.R.)

**Diolch am yr hyn fuost ti yn y dyfodol, Arglwydd Mawr** Dyna fyddai blaenor yng nghapel MC Holloway, Llundain yn arfer ddweud ar ei weddi! W. Davies oedd ei enw, un o'r Cardis a gadwai laethdy a chaffi. (G.H.J.)

18

**Maen nhw'n mynd ar ryw** *misery tour* Richard Jones, Maen-y-wern, Llanystumdwy ddywedodd hyn, a dyna ffynhonnell enw un o straeon Ifas y Tryc gan Wil Sam. (L.A.R.)

**'Fuo raid i mi aros yn hir ar y diawl ar y** *presbyterian crossing* Gyrrwr lyrri laeth, Wmffra Jones, Ysgubor Fawr oedd awdur y 'gwelliant' yma. (L.A.R.)

**Standard Lewis** Ffarmwr o Chwilog yn trafod helynt y tri yn tanio Penyberth. Er nad yn gefnogol ofnadwy i'r weithred roedd yn fodlon cyfaddef am Saunders: 'O oedd, o'dd o'n ufflwn o foi, y Standard Lewis yna!'

**tarw du Cymraeg** Go anaml y clywch chi bobol yn defnyddio'r ansoddair priodol am rywun neu rywbeth o Gymru, sef Cymreig. Cyfeirio at ein hiaith y mae'r llall i fod, wrth gwrs. Mae pob tarw du Cymreig yn werth arian,

tarw du Cymraeg

ond byddai tarw – neu fuwch o ran hynny – yn siarad Cymraeg yn amhrisiadwy!

**Ceiniog a cheiniog
A hannar dwy geiniog,
Grôt a phum ceiniog
A thriswllt**
Pôs cyfarwydd i lawer ardal ond dirgelwch llwyr, mae'n siŵr, i bawb a fagwyd efo'r arian degol. Er mwyn dros hanner y boblogaeth, felly – ateb: pedwar swllt (20c yn arian heddiw).

**Cer â 'draed i 'refa'l** (yr efail). Gwawd am wneud smonach o gic ar gae pêl-droed. (Byddai'n ddiddorol gwybod am ddywediadau hoci a phêl-rwyd gan y genod, a beth am iaith newydd y dartiau, pêl-droed a rygbi merched sydd mor boblogaidd?)

> **bacha' menyn** Cymreigiad o'r S. *butter fingers* am gôl-geidwad yn gadael i'r bêl lithro drwy'i fysedd.

**Bangor steil!** Os âi'r bêl i'r entrychion o'r cae, dyna fyddai'r llef ar y Rec, Pwllheli neu'r Traeth, Port – ond dyn a ŵyr pam; o gofio bod Bangor yn gymaint gwell na nhw erioed!

**cicio gwynt mewn croen llo** Disgrifiad gwawdlyd o bêl-droed.

**rhoid clec iddi** Cic nerthol i'r bêl.

**chwarae'n flêr** Chwarae'n sâl a di-lun.

**chwara'n fudur** Yn annheg, neu'n rhy galed.

> **tîm budur** Gall tîm cyfan gael yr enw.

**rhychu / rhoid rhych** Tacl galed nes 'sgubo rhywun i'r llawr. Bydd Orig Williams yn ymfalchïo fel yr oedd o ac

Idris Evans, Tarw Nefyn yn **rhychwrs** da yn oes aur tîm
Tommy Jones ar y Rec.

**'Cynta' glyw, hwnnw yw**
**– Yr ail a glywodd, hwnnw rechodd**
Y llinell gyntaf yn ateb y cyhuddiad mai y chi darodd un, a'r
llall yn ateb yn ôl wedyn.

**Chi sy'n dal y rhaw 'ta'r rhaw sy'n 'dal chi?** Cwestiwn go
ddyrys gan hogyn i ddyn Cyngor Sir hamddenol! (H.G.)

**dallt y dalltings** Dallt ddywedir am ddeall, wrth gwrs, ac
ystyr hwn yw 'deall y cyfan sydd i'w ddeall'. Meddwn am
rywun go ddoeth neu wybodus: 'O, mae o'n dallt y dalltings,
ychi'.

**dim syniad pa mor boeth** Arferai Gwenno Hywyn gael hwyl
ar ddynwared hen fachgen a weddïai'n werinol yng Nghapel
MC Bethel, Pen-y-groes. Dywed Glenys, mam Gwenno, na
wyddent ei enw ond mai dod ar ei wyliau i Ddyffryn Nantlle
y byddai a chymryd rhan yn y cyfarfodydd Diolchgarwch.
Honnai rhai mai fo oedd yr 'Herbert' oedd yn enwog am
beidio ennill ar farddoni yn yr Eisteddfod Genedlaethol. Pwy
bynnag ydoedd, roedd o'n siarad yn gartrefol iawn efo'r Bod
Mawr!
    'Cofia'r hogia' yn Burma draw, O Dad,' meddai. 'Ew, mae'n
galad ofnadwy arnyn' nhw ysti – 'sgen ti'm syniad pa mor
boeth ydi hi yno, Arglwydd Mawr!' (G.H.J.)
    Dro arall dyfynnu pennill enwog Hugh Derfel Hughes, *Y
gŵr a fu gynt o dan hoelion*. 'Huw Derfel 'na'th hwnna ysti, ac
emyn ardderchog ydi o hefyd,' meddai. 'O'dd o'n perthyn i
mi ysti, Arglwydd Mawr, o'dd o'n gefndar i 'nhad!' (G.H.J.)

Un tebyg oedd David Hughes, Maesmawr, blaenor yng
Nghapel MC Brynaerau. Roedd yr Athro Ifor Williams yn
flaenor yno hefyd, a phan gafodd ei urddo'n farchog dyma
David Hughes yn ei longyfarch. 'Mae'r dyn yma'n ddoctor,
mae o'n broffesor, a rwan yn syr,' meddai gan dynnu'i law
dros ei fwstas, 'a dwn i ddim be' fydd o nesa, os na fydd o'n

*general* ne'n gaptan!' Dyna'r peth olaf a ddychmygai'r gynulleidfa am y dyn bychan llednais a gwargam! (G.H.J.)

**Dyn eisiau rhannu gwerth eiddo'i stâd, £17,000 rhwng tri fel hyn: hanner i un, traean i un arall, a nawfed ran i'r llall. Sut?** Ateb: benthyg £1000 gan y twrna' i wneud £18,000. Yna rhoi £9000 i'r cyntaf, £6000 i'r ail a £2000 i'r trydydd. Wedyn rhoi'r £1000 yn ôl i'r twrna'! (I.E.)

**Mae o'n ddigon mawr i dd'eud 'chi' wrtho fo** Unrhyw beth sy'n fwy nag arfer.

**Ffair Gla'mai** Pwllheli, Mai 13, yr hen Galan Mai. Ffair bentymor, y câi amryw eu cyflogi ynddi o fewn ein cof ni. Tybed a geir rhai o hyd? Dyma ffeiriau eraill oedd yn bwysig ar almanaciau pobl Llŷn ac Eifionydd ddeugain mlynedd yn ôl:

**Ffair Gynta'r Ha'** Pwllheli, Mai 22ain.
**Ffair Gynta'r Ha'** Cricieth, Mai 23ain.
**Ffair Ŵyl Ifan** Cricieth, Mehefin 29ain. Y ffair bwysicaf, a byddai'n ras i orffen y cynhaeaf gwair mewn pryd cyn hon.
**Ffair G'langaea'** Pwllheli, Tachwedd 11eg. Ffair bentymor arall.

Rhai o'r ffeiriau cyfagos eraill:

**Ffair Newydd** Caernarfon, Mawrth 15fed.
**Ffair G'l'apsan'** Llanllyfni, Gorffennaf 6ed.
**Ffair Ŵyl y Grog** Caernarfon, Medi 23ain. Ffair wartheg.
**Ffair y Borth** Porthaethwy, Hydref 24ain.

**Gŵydd o flaen gŵydd**
**A gŵydd ar ôl gŵydd**
**A rhwng pob dwy ŵydd, gŵydd**
Pa sawl gŵydd? Ateb: tair.

**Hogia'r werin, hefo caib a rhaw,**
**Dyna'r ffordd i gadw'r hen Saeson draw**
Rhigwm a ddyblid yn y tafarnau ar ail ran alaw Rhyfelgyrch Capten Morgan (alaw sy'n fwy adnabyddus ar eiriau Ceiriog, 'Rhwym wrth dy wregys...' ac wrth gwrs fel alaw cytgan Cân y Cadeirio yn yr Eisteddfod Genedlaethol). Methu wnaethon nhw!

**Huw, Huw, wyt ti'n fyw?**
**– Yndw, yndw, diolch i Dduw**
Ein brawd fyddai'n gorfod rhoi'r ateb yna i'n cymydog hwyliog – a hynny dragywydd! (R.Ll.)

**Ivan Watsialoski** Daeth cyfenwau o bedwar ban byd i gefn gwlad Cymru. Un o Wlad Pwyl oedd Ifan. (D.W.)

**Kim Hwn Wa** Boi o Corea yn rhannu taflenni ar stryd fawr Y Bala. (G.R.)

**Signor Cravanini** Eidalwyr, wrth gwrs, oedd y ddau yma.

**Signora Torripotelli**

**Ingland rŵls ddy Wêls** Dihareb Saesneg enwog Ifas y Tryc (Stewart Jones). (W.S.J.)

**lladd dafad ddall** Fel y gwelwch, mae hwn yr un fath yn ôl ac ymlaen. Palindrom ydi'r enw ar yr hynodrwydd yma, a dyma enghraifft brin ohono yn Gymraeg (tybed fedrwch chi feddwl am ragor?).

**Llanbidinodyn** Enw smala i gelu enw lle iawn, er enghraifft er mwyn osgoi ateb y cwestiwn, 'Lle buost ti?'. Fel Cwmsgwt yn y De, ceir rhai mewn gwahanol rannau o Gymru. Mae blas di-nod ar bob un – rhyw dwll o le, fel petae.

**Milgi main brathog**
**Roth rech yn gynddeiriog,**
**A botwm melyn**

**Yn cau 'i falog**
Pôs i ni'n blant gan gymeriad o berthynas i ni, a'r ateb oedd
gwn, dryll. (O.W.E.)

**mynd am ddowc** Mynd i nofio. Dowcian yw plymio dan y
dŵr am ychydig, fel yn enw'r bilidowcar. S. *duck.*

**Nansi cytshîn, *turning around* bambarîn,**
**Beti bwt y standi-cap a'r corun digri,**
**Meri moran, gwraig hen ŵr**
**(Golchi, pobi, cario dŵr),**
**Cadi codan, bol yn codi**
**(Curo'r gŵr â'r rholbran bobi)**
Beth wnewch chi o hwnna? John Jones, y Gyfyng, Cwm
Pennant oedd yn rhigymu wrth gyfarfod pedair hogan y
Moelfre yn cerdded adref o Ysgol y Pennant erstalwm. Mae
Cadi (Katie) erbyn hyn yn 86 oed â'i chof yn rhyfeddol yn
sgwrsio'n ddifyr am hen gymeriadau'r Cwm. (K.W.)

**Pam bod y fuwch yn sbïo dros ben clawdd?**
**– Am na fedar hi ddim gweld drwyddo fo**

**Am bod pam yn peru,**
**A rhech yn drewi**
Ateb – neu osgoi ateb – y cwestiwn 'pam?' y mae hwn. Y
llinell gyntaf glywir amlaf.

**Peth crwn ydi 'o'** Dyna'r ateb ysgafala i rywun sydd wedi cael
cywiriad neu eglurhad ac yn ymateb â dim ond 'O-y'. Mae'n
debyg i hwn, sy'n ateb i rywun a ddywed 'Taswn i wedi...'
neu 'Biti na fasa...':

**(Tasa'r Wyddfa i gyd yn gaws**
**Mi fasa'n haws cael cosyn)**

**Pry' bach yn mynd i fyny, fyny, fyny – daliwch o!** Cael
plentyn ifanc iawn i chwerthin trwy 'gerdded' eich bysedd i
fyny ei fraich wrth i chi ddweud y geiriau, ac ar y 'daliwch o!'
goglais ei wddw'n sydyn.

**Robert Jones, Frondeg** Rydym yn sôn droeon yn y llyfr am y cymeriad diddorol yma. Roedd wal gerrig isel gardd Frondeg yn lle da iawn i sodro'r beics am sgwrs. Fel Robat Jones Gwningwr (neu Robin Gwningwr) yr oedd llawer yn ei adnabod, achos dyna oedd ei alwedigaeth ar y cyfan. Byddai'n gweithio yma ac acw hefyd ac yn gwerthu llysiau gardd am ychydig sylltau i'w gymdogion, ond ei brif orchwyl ar Sadyrnau a gyda'r nosau oedd torri gwalltiau mewn cwt yn y cefn. Un o Rosfawr oedd o, ac aeth i hen ysgol Plas Gwyn ger y Ffôr – ond Coleg Plasgwyn fydda fo'n ddweud!

**arian cochion** Am flynyddoedd, bu'r Dr O. Lewis Jones, Cricieth – fynta'n gymeriad – yn cynnal syrjeri ym mharlwr Frondeg tua dwywaith yr wythnos. Yn achlysurol, byddai'r doctor yn cael torri'i wallt, ac yn talu i Robat Jones efo arian cochion i gyd er mwyn ei wylltio!

**faint o sblash** 'Che'st ti ddim hanas job eto?' gofynnodd unwaith. 'Wel, rhaid i ti ga'l rhywun i dy daflu di i'r llyn. Cofia, 'fydd hi'n dibynnu ar dy bwysa' di faint o sblash 'nei di!'

**ofn dy saethu** 'Ia, be' wyt ti'n 'neud rwan, 'rhen ddyn?' gofynnodd dro arall. Yr ateb oedd, 'O, yn Gaerdydd, gweithio efo'r teledu.' 'Dow,' meddai, 'oes arnat ti ddim ofn iddyn nhw dy saethu di, dywad?'

**pryfocio** Byddai'n dawnsio hyd y pentref ac yn cymryd arno ei fod wedi meddwi, dim ond er mwyn pryfocio Mrs Laura Owen oedd yn byw dros y ffordd. (G.Js)

A dyma ragor o straeon a gawsom ar bapur gan gymydog iddo. Mae Gwyn yn storïwr da ei hun. (G.Js):

*eighty eight* "*Yr oeddwn i a'r bechgyn eraill wrth ein bodd yn sgwrsio a gwrando ar storiau Robat Jones. Yr oeddem ni bob amser yn meddwl ei fod yn hen iawn... 'Faint yw eich oed chi, Robat Jôs?' 'Eighty eight,' oedd yr ateb bob amser. Mi fuodd Robat Jones yn eighty eight am flynyddoedd lawer. Yr oeddwn*

*Robert Jones (chwith) a'i wyr Gwynfor a'i ffurat, tua 1937, ac (uchod) o flaen Frondeg, Chwilog yn y 60au.*

*(Dde) Gwyn Jones (gw. atgofion am ei hen gymydog) ar y car llifio, yn saer ifanc tua'r 60au.*

*yn sefyll ar lan ei fedd ddiwrnod ei angladd ac yn gweld ei oed ar gaead ei arch – 87."*

**y jiraff** Roedd syrcas wedi dod i'r cae tu ôl i dafarn Madryn, ac ar y pnawn Sadwrn roedd Gwyn yn digwydd sgwrsio efo Robat Jones o flaen Frondeg. Pwy ddaeth i lawr y pentref yn cerdded yn hamddenol ond Edward Jones, Trewerin, gŵr main tal. Gofynnodd Mr Jones i'r ddau, 'Ydach chi am fynd i'r syrcas hogia? Maen nhw isio mwncwns yno.' Cyn iddo orffen dweud bron, atebodd Robat Jones, 'Maen nhw isio jiraff yno hefyd!'

**riwbob arbennig** *"Ar ôl priodi yr oeddwn yn byw drws nesaf ond dau iddo, ac un diwrnod yr oedd Valmai fy ngwraig eisiau riwbob i wneud cacennau. 'Gofynna i Robat Jôs,' medda fi, 'mae o'n eu tyfu yn yr allotment wrth ochor y lein.' Y noswaith ganlynol daeth Robat Jones i mewn i'r tŷ trwy'r drws cefn hefo baich o riwbob o dan ei gesail. 'Ew, maen nhw'n riwbob neis iawn,' meddai Valmai. 'Mae'r riwbob yma yn rhai arbennig iawn,' meddai Robat Jones, 'champagne riwbob yw'r rhain, mi fyddwch yn llyfu'ch tina' ar ôl eu bwyta!' "*

**yr eryr** Yr adeg honno roedd y lein yn mynd drwy'r pentref ac yr oedd yno orsaf ac felly orsaf-feistr, Mr Roberts. Sais oedd Mr Roberts. Mae Gwyn yn ei gofio'n gofyn i Robat Jones, *'How is the wife these days, Robert Jones?'* Yn ei Saesneg bratiog atebodd yntau mai go lew oedd hi. *'She's got an eagle on her back,'* meddai (gw. yr eryr, adran Iechyd Pobl).

**Robin Tyddyn 'Ronnen** *"Byddai Robat Jones yn canu hen ganeuon llofft stabal ond yn aml iawn doedd y penillion ddim yn weddus. Dyma'r lanaf y gallaf feddwl amdani:*

*Un nos ar ŵyl Mihangal*
*Oddeutu deg o'r gloch*
*Roedd Robin Tyddyn 'Ronnen*
*Yn brysur bwydo'r moch.*
*Aeth fel yr oedd yn union*
*Yn syth i 'Sgubor Hen*
*I garu'r forwyn ddelaf,*
*A'i henw oedd Catrin Jên.*

*Ei fraich oedd am ei gwddw*
*A'i wefus ar ei boch;*
*Ni chlywodd Catrin Jên*
*Ddim ogla'r cachu moch!"*

(Pennill a hanner ydynt o nifer am lanc a'i enw'n
amrywio yn y gwahanol fersiynau ohoni. Ifan
Pantyfedwen ydyw yn recordiad Plethyn ar *Blas y Pridd*,
1980. Swnia'r rheiny'n eiriau gwreiddiol a dywed Linda
Healy iddi eu cael gan Meredydd Evans. Byddai'n gân
boblogaidd yn y Gogledd, meddai Merêd, a gofia'i
chlywed yn Nhanygrisiau. Ceir addasiad dan yr enw Ifan
Tyddyn Fedwen yn y llyfr *Arferion Caru*, Catrin Stevens,
Gomer, 1977. Yn y ddau achos mae'r llinell olaf yn fwy
parchus – 'Ddim ogle'r *cytie* moch'!)


**Robin 'di Robat a Jac ydi John,**
***Stone* ydi carrag a *stick* ydi ffon**
Hwyl plant yn dysgu Saesneg yn amser ein rhieni.

**Rowliodd Lowri lawr yr allt** Ailadrodder yn gyflym

**'Run oed â bawd 'y nhroed**
**A thipyn hŷn na 'nannadd**
Ateb i rywun yn holi eich oedran.

**Rhech den mewn blwch tun,**
**Caead arni yn reit dynn**

Tenau yw den, a dyma un arall (yr anghofiodd Thomas Parry ei chynnwys yn yr *Oxford Book of Welsh Verse*):

**Rhech den grin**
**Ddaeth allan o'i chynefin;**
**Fel mellten y daeth**
**O dwll din dyn**

**Twll dy din di** *station master*! Dynwarediad o sŵn tren stêm yn cychwyn (ei ddweud yn araf i gychwyn, a'i ailadrodd yn gyflymach).

**Un dau tri, Mam yn dal pry';**
**Pry' wedi marw, Mam yn crïo'n arw**

**Wel, medda' Wil wrth y wal;**
**Dd'udodd y wal ddim byd wrth Wil.**
**– Do, paid â piso am 'mhen i**
Dywedir y cwpled cyntaf i'ch dannod os digwydd i chi ddweud 'Wel…' yn betrus. Wedyn byddwch chwithau yn ateb efo'r llinell olaf.

# Amser a Gofod

Ceir tuedd bendant i wamalu wrth sôn am yr amser, am ryw reswm. Mae rhywbeth digon ofnadwy mewn amser unwaith y dechreuwn ni feddwl amdano, yn enwedig wrth fynd yn hŷn. Mae'n siŵr felly mai ei gymryd yn ysgafn yw'r peth callaf inni!

**Faint ydi hi o'r gloch?** –
**Amsar rhoid bwyd i'r mochyn coch** Ateb i blentyn.

**Faint 'neith hi ar y gwynab?** Enghraifft o wamalu wrth holi'r amser. (Gwyneb oriawr, wrth gwrs.)

**yn gymaint â hyn'na?** Roedd hen gymeriad o Langybi na fedrai ddweud faint o'r gloch oedd hi, ond roedd o'n berchen ar watsh boced a byddai'n hoffi i bobol ofyn iddo! Wedyn byddai'n tynnu'r oriawr allan yn falch i ben draw'r gadwyn a dweud: 'Dew, ydi'n gymaint â hyn'na, 'dwch?' (G.V.J.)

**ofn sbïo** 'Nhad yn gwneud rhyw waith yn Penbryn, Pencoed a nhwtha ar ei hôl hi braidd. 'Argol, faint ydi o'r gloch, dywad?' gofynnodd. 'Ew, dwn 'im,' meddai Hugh Defi Griffith, 'mae gen i ofn sbïo!'

**Mi anghofi di lawar o betha', ond mi wyt ti'n siŵr o gofio r'wbath wyt ti** *isio* **gofio** (W.J.)

**(Ceffyl da ydi ewyllys)**

**Yn ara' deg 'mae dal iâr;**
**Yn wyllt gynddeiriog 'mae dal ceiliog**
Mae'r ail linell yn ychwanegiad at y ddihareb yn null barddonol y Cymry.

**\*awr fawr Calan** Dywedir bod golau dydd wedi ymestyn awr erbyn Calan Ionawr.

**y dydd yn 'mystyn**

**y dydd yn byrhau**

**gefn dydd gola'** Croes i **gefn nos** neu **gefn trymedd nos.**

**troad y rhod** Y dydd byrraf (Alban Arthan), Rhagfyr 22ain a'r hwyaf (Alban Hefin), Mehefin 21ain.

**Mae awr o gwsg cyn hannar nos yn werth dwy ar 'i ôl**

**cadw noswyl** Gorffen gwaith y dydd.

**yn ben set** Yn hwyr iawn, yn funud olaf i wneud rhywbeth. 'Ty'd wir, ne' mi fydd hi'n ben set arnon ni'n gorffan.' Beth oedd tarddiad y dywediad yma, tybed? Yr eglurhad mwyaf tebygol yw ei fod yn cyfeirio at hyd un gêm mewn rhyw chwarae, ond gallai hefyd fod yn atgof am ddawns werin neu hyd yn oed ddawns barlwr y byddigion; roedd gweision a morynion y plasau yn gyfarwydd â phethau o'r fath.

**yn berfeddion nos** Yn hwyr iawn, ganol nos. 'Argol, well i ni fynd, mae hi'n berfeddion.'

**yn berfeddion gaea'** Ganol gaeaf.

**yn berfeddion gwlad** Yng nghanol cefn gwlad o lonydd culion.

**(Gwell hwyr na hwyrach)**

**Yn y bora mae'i dal hi** Dechrau'n gynnar i wneud diwrnod iawn o waith.

**(Bora dyn pan godo)**

31

**(cyn codi cŵn Caer)** Yn gynnar. Tybed a geir yma atgof o oes pan oedd trefi'r gelyn ar y ffin yn wyliadwrus rhag y Cymry?

**bwyd pry' genwa'r** Wedi marw.

**dan y dorchan** Dan y dywarchen, yn y fynwent.

**wedi'i heglu hi**

**wedi mynd**

**wedi pegio**

**(Cyn amled ar y farchnad,
Groen yr oen â chroen y ddafad)**
Pan fo rhywun ifanc yn marw.

**Ca'l cawall** Cael tŷ gwag a chwithau wedi mynd yn unswydd i ymweld â rhywun.

**Y cam cynta' ydi'r cam gora'**

**Mae cam ar y trothwy yn hannar y daith**

**(Deuparth gwaith yw ei ddechrau)**

**y cof fel basgiad siopa** Gwyddom bod rhai sy'n mynd i oed yn tueddu i anghofio pethau diweddar ond yn medru cofio hen bethau. Mae'r cof felly yn debyg i fasged siopa. Pan ewch i siopa byddwch yn prynu pethau a'u rhoi yn y fasged, ac yna'n prynu rhagor o bethau a'u rhoi ar ben y lleill yn y fasged. Wedi i chi fynd adref, y rhai olaf hynny ddaw allan gyntaf, a'r pethau a gawsoch yn wreiddiol fydd ar ôl yn y diwedd! (G.H.J., ar ôl ei mam)

**Cyfla gollwyd ni ddaw yn ôl** Ar ddiwrnod angladd Gruffydd Williams, Penarth, Llanarmon yn 1960 roedd William Jones, Tyddyn Iol, Abererch wedi gofyn i'w dad, 'Be' 'na'i 'Nhad, a'i

32

i g'n'ebrwng Gruffydd Wilias?' 'G'na di fel fynno' chdi, Wil,' meddai Robert Jones, 'ond fydd dim isio chdi yno *fory*.' (I.W.)

(**Ddaw ddoe ddim yn ôl**) 'Ddoe i neb ni ddaw yn ôl' meddai Robert ap Gwilym Ddu, ond cafodd y ddihareb ei hadleisio'n well gan ryw englynwr anhysbys fel hyn: 'Ni ddaw i neb ddoe yn ôl'.

**oes i ddyfaru** Dywediad llawn cystal ag un gŵr Tyddyn Iol. Wedi iddo fod yn pendroni a âi i gynhebrwng perthynas ar ôl cyfnod o ymddieithrio, dyma ddywedwyd wrth Robin gan gydweithiwr: "Mae gen' ti ddau dd'wrnod i 'neud dy feddwl i fyny, ac oes i ddyfaru". (R.D.)

(**Gwell cymydog agos na brawd ymhell**)

**chwaer yr haul** Dywediad go wreiddiol am watsh neu oriawr.

**Da boch chi a dibechod** Amrywiad o 'da boch' wrth ganu'n iach, clyfrwch cynganeddol nodweddiadol Gymreig.

**Cymar ofol / Cym'wch ofol** Wrth ganu'n iach eto (cymerwch ofal).

**Dan dy fendith**

   *Underneath your* **bendith**

**Hwrê**

**Hwyl / Hwyl a fflag**

**Ta ta tan toc**

**dal dy ddŵr** Cais i aros a dioddef ychydig.

**dal dy wynt**

**gwitiad** Aros. 'Gwitia amdana'i / Cofia witiad amdana'i.'
Hen Ffrangeg *guaitier* (gwylio am), S. *wait*.

**digio am byth a phythefnos wedyn** Digio'n anfaddeuol.
(K.R.)

**Dos cynt na chynta' galloch** Hynny ydi, cynt na chyflymaf!
(K.R.)

**Dos nes 'draed 'twtsiad dim** Â'r traed yn cyffwrdd dim.

**dwad fel cafod** Am rywbeth a ddaw'n fuan neu'n
ddirybudd.

**dyro geirch iddi** Mynd yn gyflym, fel ceffyl wedi cael
digon o fwyd.

**mewn tsiffiad** Yn gyflym. Hefyd yn adferol yr un modd
â'r S. *jiffy* – 'Fydda'i ddim tsiffiad yn mynd.'

**mynd fel ci dall** Yn ddireol o wyllt. Ceir tomen o rai
tebyg:

**fel cath i gythra'l**

**fel ewig**

**fel fflamia'**

**fel gafr ar d'rana'**

**fel Jehiw** Fel cerbyd y brenin o Lyfr y Brenhinoedd
(Hen Dest.).

**fel milgi**

**fel sgwarnog**

**fel slecs**

34

**Ddaw hi ddim fel hyn a phriodi fory** Wrth un yn sefyllian yn lle gweithio.

**hel dail** Gwneud llawer o ddim.

**loetran** Gwastraffu amser cyn cychwyn. S. *loiter*.

**stilian** Gwastraffu amser yn lle gweithio.

**holi a stilian** Yr ystyr arall yma yw busnesu.

**stwna / stwnyn** Araf a diamcan, heb ddiddordeb yn ei waith.

**tin-droi**

**Fuo 'ddrwg erioed o hir ymaros**

(**Mae yna ddau faw ci yng Nghaer**) Cyngor i bwyllo cyn dewis.

**Faint 'dach chi 'mlaen yma?** Dyna oedd y cwestiwn weithiau wrth holi'r amser mewn tŷ diarth tua chanol y ganrif. Ar lawer o aelwydydd – yn enwedig y ffermydd – roedd y cloc yn cael ei droi ymlaen yn ychwanegol at yr awr swyddogol. Y drefn ran amlaf fyddai bod **ar amsar** yn yr haf (sef awr ymlaen) yna cadw'r awr ymlaen yn y gaeaf er mwyn manteisio ar fymryn mwy o olau dydd. Ond roedd ambell le ddwy awr ymlaen yn yr haf! Byddai eraill yn cadw rywfaint o flaen yr amser swyddogol drwy'r flwyddyn, chwarter neu hanner awr, gyda'r fantais o gael bod yn brydlon bob amser. Hanner awr oedd hi acw! Un sy'n dal felly heddiw ydi Ifan Hughes, Garej Ceiri, Llanaelhaearn. Mae Ifan hanner awr ymlaen o hyd, nid yn y garej ond ar ei gloc yn y tŷ gartref. Pwy arall, tybed, sy'n dal at yr hen drefn hynod?

Anghenion adeg rhyfel a achosodd y drefn neu'r anhrefn yma. Dechreuwyd troi'r cloc awr ymlaen o'r gwanwyn hyd yr hydref yn ystod y Rhyfel Byd Cyntaf, er mwyn arbed golau a gwres drwy gael pobl i godi a mynd i'w gwelyau awr ynghynt.

Bu'r ffermwyr yn gwrthwynebu'r cynllun oherwydd y byddai'n rhaid codi i odro yn y tywyllwch a llafurwyr y cynhaeaf yn gorfod aros awr arall i'r gwlith godi, ond dod i arfer efo'r drefn newydd a wnaeth pawb.

Yn ystod yr Ail Ryfel Byd cafwyd mesurau arbennig i gynyddu cynnyrch, yn cynnwys amser haf dwbwl (sef troi'r cloc ymlaen ddwy awr). Ac am ran helaeth o'r rhyfel roeddent awr ymlaen yn ystod y gaeaf hefyd. Rhoddwyd y gorau i'r amser haf dwbwl yn 1945, ond bu mewn grym unwaith wedyn yn 1947. Un atgof pellennig gennym am hynny yw nad oedd dim modd cael yr ieir i mewn i'r cwt yn y gadlas – unarddeg o'r gloch y nos ar y cloc ond dim ond naw ar yr haul!

unarddeg o'r gloch y nos ar y cloc
ond dim ond naw ar yr haul

**y ffor' gynta' i Ganaan** Y ffordd gyntaf neu rwyddaf o wneud rhywbeth, neu i fynd i rywle. Cof am daith yr Israeliaid yn yr anialwch, debyg.

**yn Griciath** Ac **yn Ben'groes** meddwn, tuedd i golli'r treiglad trwynol gan roi treiglad meddal i enwau llefydd yn dechrau â C a P. Tueddwn i beidio treiglo o gwbwl efo B, D a T, fel **yn Beddgelart, yn Dyffryn Nantlla** ac **yn Tremadog** (er y clywch rai yn dweud **yn Fangor**).

**G'leua hi o'ma** Mynd ymaith yn ddiymdroi – "i g'leuo hi o olwg y plisman.' Goleuo, mae'n debyg, am eich bod yn gadael golau ar eich ôl.

**'i baglu hi**

**cym'yd y goes**

**'i gwadnu hi**

**'i heglu hi**

**mynd nerth 'i draed**

**Mae'n hen bryd i mi fynd i gysgu allan** Dywediad da gan hen ŵr deg a phedwar ugain oedd wedi bod yn orweddiog yn hir. Ai sôn yr oedd o am ddod i derfyn oes, tybed? (E.W.)

**★ar hyd y beit** Drwy gydol yr amser neu'r cyfnod. O'r S. *beat* efallai.

**yr amsar a'r amsar** Rhyw adeg arbennig.

**Mwya' byddo dyn byw,**
**Mwya' wêl a mwya' glyw**

**(Amser a ddengys)**

**(Yr hen a ŵyr, yr ifanc a dybia)**

37

**No môr, no mynydd,**
**Lôn bost bob cam**
Dywediad chwarcus yn mwyseirio gyda'r S. *no more*, ac yn cael ei ddweud pan fyddai dim byd ar ôl o rywbeth, neu pan deimlid na ddylai plentyn gael 'chwaneg o rywbeth. A dyma un arall yn cynnwys mymryn o'r iaith fain, hwn yn cael ei ddysgu gartref i blant go ifanc cyn iddynt ddechrau ar y Saesneg yn yr ysgol (wedi cyrraedd tua saith oed):

*Yes* a *no*, a dyna fo,
*Yes indeed*, dyna'r cwbwl i gyd

**Mae pensal fer yn well na chof hir** Cawsom brawf o wirionedd y dywediad wrth geisio rhoi trefn ar y llyfr! (I.W.)

**Mi a'th y pry' i'r coed tra buo'r cŵn yn cachu** Bod yn rhy hwyr.

**codi pais wedi piso**

**(Y cynta' i'r felin gaiff falu)**

**Mae hi'n rêl tylluan** Yn un hwyrol.

**Sadwrn pwt, Sul wrth 'i gwt** Roedd y Sadwrn yn ddiwrnod prysur gan ei fod yn cynnwys gwaith y Sul hefyd, a'r amser yn mynd rhwng popeth.

**Difia'** Difiau, Dydd Iau fel yn Difia' Dyrchafael. Does dim llawer yn arfer hwn bellach (clywir mwy arno ym Môn efallai).

**noson waith** Pob nos o'r wythnos ac eithrio nos Sul.

**tan Sul y pys** Byth, oherwydd nad yw'r fath ŵyl yn bod.

**\*sgwennu sownd-'n-i-gilydd** Yn rhibidirês fel yna y galwem ni'r ysgrifen redeg a ddysgodd Miss Walker i ni yn yr ysgol

fach (efo help y pren mesur ar draws y migwrn weithiau!).
S. *joined-up writing.*

**★sgwennu sownd** Dyna ddywedai'r mwyafrif, mae'n
debyg. Fel Lowri Owen, cyn-athrawes yn Ysgol Cricieth
a wnaeth atgoffa un o'i hen ddisgyblion am y tro hwnnw
tua 1952 pan sgrifennodd hi frawddeg ar y bwrdd du a
dweud wrth y plant am ei chopïo. "Cofiwch chi
sgwennu'n sownd," meddai. A beth wnaeth Robin druan?
Ia, sgwennu'r *frawddeg* i gyd yn sownd! (R.D.)

**★tair croeslon** Un o'r ddau fath o groesffordd: dyma'r ffurf T
â thri chyfeiriad ohoni (S. *T-junction*).

**pedair croeslon** Y groes iawn â phedwar cyfeiriad ohoni.

**yn y t'w'niad** Tywyniad (haul), yn golygu: (1) Dwthwn neu
gyfnod arbennig. 'Mi o'n i'n hapus iawn yn y t'w'niad
hwnnw.' (2) Gwneud rhywbeth yr union adeg honno.

**yn syth bin**

**tynnu at y dalar** Agosáu at ddiwedd oes, neu orffen rhyw
dasg.

**hen fel pechod**

# Chwarae Plant

Dyna newid a fu yn nifer a safon gemau bwrdd-y-gegin! Y gemau cyffredin yn y tŷ erstalwm fyddai chwarae cardiau, *rings* a'r orau un sef draffts. Caem afael weithiau ar ambell beth fel bat-a-phêl ar lastig neu io-io. Yn yr hosan Nadolig mi fyddem os yn lwcus yn gwirioni ar focs *Tiddly-winks*, *Ludo* neu *Snakes and Ladders* yn eu tro, ac ambell i jig-so. Nid yw'r gemau hyn yn hollol ddiarth i blant heddiw chwaith oherwydd mae'r hen glasuron yn dal i lechu tu ôl i ddyfeisiadau drud a soffistigedig y siopau.

Mae chwaraeon corfforol wedi newid llawn cymaint. Maen nhw'n dweud nad yw plant yn chwarae yn yr awyr iach mor aml rwan, yn oes y teledu a'r cyfrifiadur a'r Wê fydeang. Ond roedd y newid yn digwydd cyn hynny pan gafodd pob teulu gar modur. Aeth llawer o'r gemau stryd isod – chwarae cylch, marblis, portsh, top, tryc ac ati – yn anymarferol efo'r holl drafnidiaeth ar y ffordd. Mae gemau pêl yn fyw ac iach ar y cyfan, a glan y môr yn yr haf wrth reswm yn denu cymaint ag erioed.

Ceir disgrifiad a lluniau o chwaraeon gan Tecwyn Vaughan Jones yn ei lyfryn diddorol a gwerthfawr, *Teganau Gwerin Plant Cymru*, Carreg Gwalch, 1987. Nid oes diben i ni drafod y rhai hynny o'i chwaraeon a gofiwn ac eithrio ychwanegu manylion weithiau.

Yn y rhan yma o'r llyfr cawsom help rhai cyfeillion i brocio'r hen gof. Mae ambell gofnod yn annigonol o hyd am nad oedd amser yn caniatáu inni wneud ymchwil pellach. Byddai'n werth cael eich ymateb chi e.e. yn y cylchgrawn *Llafar Gwlad* neu yn eich papur bro.

O.N. Er mor gyffredin ydyw rhai sy'n ein rhestr, cânt eu cynnwys er mwyn rhoi darlun mwy cyflawn o fyd y Cymry bach. Nid yw'r dosbarthiad rhwng chwaraeon cymysg, bechgyn, a genethod yn un pendant iawn, dim ond arweiniad bras.

## Chwaraeon cymysg

**cwch brwyn** Atgof gan amryw am wneud cwch bach o frwyn. Mae'n ddiddorol bod plant y cyfnod wedi dyfeisio amryw o chwaraeon yn defnyddio brwyn. Mae digon o hwnnw ar gael o hyd ac nid oes unrhyw reswm pam na ellid atgyfodi'r gemau, pe gallai rhywun ychwanegu'r manylion. (H.V.J. + Rh.E.)

**chwara' cuddiad** Cuddiad ydi'r berfenw cyfarwydd i ni, nid cuddio. O.N. A chuddiad pethau yn y tŷ a galw **yn boeth / yn oer.**

**chwara' cylch** Cylch haearn main o waith Tom Jones y gof, tua maint olwyn beic, a **ffon** haearn (neu *stick* yn ôl rhai) â'i blaen ar ffurf S i wthio'r cylch ar wib. Yn wir, byddai cylch olwyn beic yn gwneud y tro weithiau, ond nid oedd mor hylaw i'w yrru efo'r ffon.

**cylcha'** Roedd tomen o gylchau pren lled ysgafn, tua dwy droedfedd a hanner o drwch, yn cael eu cadw yn yr ysgol gynradd ar gyfer gemau ymarfer corff. Aeth y rheiny o'r ffasiwn yn yr ysgolion tua'r pumdegau, a go brin bod dim ar ôl os nad oes un ynghudd mewn rhyw gwpwrdd yn rhywle.

**'enwau o'r un llythyren'** Enwi gwlad, tref, pentref, blodyn, anifail ac ati yn dechrau â'r un llythyren, a disgyn allan os methwch â meddwl am air. Gêm oesol i nifer o gwmpas y tân yn y gaeaf, neu ar daith.

**Faint o'r gloch ydi hi Mr Blaidd?** Gêm boblogaidd iawn. Mae un plentyn yn wynebu wal, a'r gweddill yn rhes ar draws tuag 20 llath tu ôl. Gweiddi, 'Faint o'r gloch ydi hi Mr Blaidd?' Mr Blaidd yn ateb, 'Dau o'r gloch,' a'r plant yn symud 2 gam ymlaen. Gofyn eto a'r ateb yn 'Pedwar o'r gloch,' a symud 4 cam ymlaen, ac felly ymlaen. Pan fydd y rhes yn dynesu ato, wedi'r cwestiwn nesaf mae'r blaidd yn ateb, 'AMSAR BWYD!' ac yn troi a rhedeg i ddal un o'r plant. Yr un anffodus hwnnw fydd Mr Blaidd wedyn.

**ffeit!** Fel plant pob man, dyna oedd ein cri pan âi ffrwgwd dros ben llestri. Pawb yn rhedeg i weld – roedd yn fwy cyffrous nag unrhyw gêm! Byddai diwedd ar y ffeit bob amser wedi gweld rhyw waed, yn enwedig trwyn yn gwaedu.
Ceir atgof o gyfnod yr Ail Ryfel Byd am ffeit ar bont y Pandy rhwng yr ifaciwîs a phlant y pentref. Y pentref ddaru ennill (mae'n siŵr bod mwy ohonynt!). Mwy na thebyg y byddai pawb yn ffrindiau yn y diwedd. (E.J.)
Arferai 'Nhad hefyd ddisgrifio gêm y byddai'r hogiau yn ei chwarae ar iard Ysgol Chwilog yn ystod ei gyfnod o yno, sef o tua 1910 hyd 1919 – enw'r hogiau arni oedd **chwara' rhyfal**. Roedd y rheolau'n syml: dwy 'fyddin' (Jyrmans a Chymry) yn wynebu'i gilydd ar yr iard, yna cythru i'r canol a chwffas.

**gweu drwy rîl** Difyrrwch yn y cartref neu'r ysgol, yn hytrach na gêm. Mae angen rîl edau wag, 4 hoelen fechan â phen esmwyth, pellen o edafedd, a bachyn crosio neu bwt o wiallen fain. Curo'r hoelion yn gyfartal o gwmpas un talcen i'r rîl gan adael tua hanner modfedd o afael.
Cychwyn gan ddal yr edafedd (a'r rîl) yn y llaw chwith, codi'r pwyth cyntaf dros yr edafedd ac ymlaen i'r nesaf. Dal i weithio'n gylch, a chyn bo hir bydd tiwb o wau yn ymddangos drwy ben arall y rîl. Wedi gwau rhai troedfeddi, medrem wneud pethau 'defnyddiol' fel gwregys, sgarff dol, neu fat tebot – ei rowlio ar fwrdd y gegin a dal y cylch yn ei le ag ambell bwyth edau a nodwydd. Mae'n siŵr y byddai hyn yn ein cadw'n ddistaw am oriau!

**hel rhifa' ceir** Fel hel stampiau neu hel a ffeirio cardiau sigarets (a nwyddau eraill fel te Typhoo), roedd tymor i bob peth o'r fath. Chwiw yr haf oedd y rhifau ceir, a braf dros ben oedd diogi ym myd natur efo copi-bwc a phensel ar ben clawdd ar groeslon wledig, yn aros am ddim byd ond sŵn car! Go achlysurol fyddai ceir yr oes aur honno, p'run bynnag, ac eithrio yn Awst pan ddôi'r ymwelwyr, ond dôi mwy a mwy yn y pumdegau nes aeth y peth yn anymarferol ac amhleserus. Erbyn hynny, hel rhifau yn cychwyn o rif 1 yna 2 a 3 ac ati y byddai plant wrth fynd yn y car am Fangor a Llandudno a ballu. Mi fyddai'n cymryd oesoedd weithiau i gael y rhif 1 er mwyn cael cychwyn arni! O.N. Mae'n od na fuom ni'n hel rhifau trenau, â gorsaf yn y pentref agosaf; mae'n saff bod rhywrai yn gwneud.

**\*Igl ogl blw bogl, igl ogl owt** Pos i bwyntio at blant yn eu tro i ddewis pwy sy'n gorfod syrthio allan cyn mynd ymlaen mewn rhyw gêm. **Blw botl** a ddywed rhai a dyna'r gwreiddiol, S. *blue bottle*. Ni chofiwn rai fel hyn yn Gymraeg, petai wahaniaeth – ni wyddem ar y pryd mai geiriau Saesneg oedd y ddau gyntaf yma!

**\*In pin seffti pin, in pin owt**

*Eenie, meenie, miney, mo,*
*Put the baby on the po;*
*When he's done, wipe his bum;*
*Eenie, meenie, miney, mo*

**John Jôs cae tatws** Amrywiad o'r gêm mwgwd iâr isod. Nid ydym yn cofio'r manylion yn iawn, ond byddai'r plant yn cogio dwyn tatws o gwmpas yr un â'r mwgwd ac yn galw 'Wa- a, mae John Jôs yn dwad!' gan ei bryfocio a mentro'n agos ato yn y cae tatws, yna fynta'n cythru'n sydyn i ddal rhywun a cheisio'i enwi. Byddai pwy bynnag gâi ei enwi'n gywir yn mynd yn John Jôs yn ei le wedyn.

**chwara' marblis** Atgofion niwlog sydd gennym ohono, ac ni chofiwn yr eirfa ac eithrio'r enw **to** am y farblen fawr werthfawr a deflid at y marblis bach. Ond cofiwn yn iawn ein bod wrth ein bodd yn eu hel a'u ffeirio. Byddai gan y genethod fag bach i'w dal, ychydig fodfeddi sgwâr â llinyn tynhau am ei geg. Ni wyddom a oedd y bagiau ar werth mewn siop neu yn y ffair, ond mae'n siŵr mai Mam fuasai wedi gwneud un i ni.

**mwgwd iâr** Y gêm gyfarwydd lle mae un â mwgwd dros ei lygaid yng nghanol haid yn cael ei blagio, ac yn ceisio dal un ohonynt. Wedi dal y truan mae'n ei 'deimlo' i geisio dyfalu pwy yw, ac os gall ei enwi'n gywir mae hwnnw'n gorfod cael y mwgwd wedyn.

**mwrthwl sinc** Tegan i'w ysgwyd yn swnllyd (fel S. *rattle*), a wnâi'r hen Now Cefnrhosgyll, Pencoed i ni'n blant drwy blethu brwyn glas yn gelfydd, gyda choes i gydio ynddo a cherrig mân yn y bol i wneud sŵn. Roedd y bol tua maint pêl golff ac fe gofiwn y ddefod yn iawn – yn y tŷ gwair ar ddiwrnod glawog – ond ni wnaethom ddysgu'r grefft ganddo yn anffodus. O.N. Ceir llun da o un tebyg iawn o gyrs neu wellt aeddfed ar glawr *Teganau Gwerin Plant Cymru* (nid oes sôn amdano y tu fewn). Rydym yn amheus braidd a oedd gan Now bric yn ymestyn o'r carn allan drwy'r blaen fel yn y llun, ond ni fedrwn daeru hynny. (O.W.E.)

**olwyn ddŵr** Tegan arall o frwyn na wyddom bellach sut i'w wneud! 'Nhad oedd yn cofio gwneud yr olwyn, i droi mewn ffos yn y rhos. Roedd digon o frwyn yno, ac yn bwysicach yn y fan honno ar derfyn Ty'n Rhos Penarth roedd yna ddwy garreg sylweddol yn ymyl ei gilydd yn llond y ffos, lle da i osod yr olwyn.

**gwneud *pom-pom*** Nid yw hon chwaith yn gêm fel y cyfryw ond hwyl adnabyddus yn y cartref a'r ysgol gynradd. Yn ogystal â'i gwnio ar gap plentyn, mae'r bêl feddal yn addas i chwarae yn y tŷ. Mae angen digon o bellenni gwlân, gyda gwahanol liwiau yn edrych yn dda.

Gosod dau gerdyn crwn at ei gilydd, tua 4″ neu fwy ar draws, a gwneud twll tua 2″ allan o'i ganol. Weindio'r edafedd drwy'r canol a rownd y cylch i orchuddio'r carbord nes bydd y twll bron wedi cau. Yn ofalus efo siswrn, torri'r edafedd rownd yr ymyl rhwng y ddau gerdyn, yna clymu'r canol yn dynn ag edafedd cryf. Rhoi ysgytwad go dda i ddod â'r cyfan i siâp, a thacluso mymryn ar y bêl efo siswrn os bydd angen.

***Ring a ring o' roses*** Y rhigwm Saesneg cyfarwydd, a genir gan ddal dwylo i ddawnsio mewn cylch, a'r olaf i syrthio yn tynnu allan.

*Ring a ring o' roses,*
*A pocket full of posies,*
*A-tishoo, a-tishoo,*
*We all fall down*

**sbonc llyffant** Un yn plygu i lawr a'r lleill yn neidio dros ei gefn.

**chwara' *pig*** Enw'r genethod yn y pedwardegau ar sbonc llyffant. S. *piggy-back*.

***leaping frog*** '*Pig* neu *leaping frog*' a ddywed geiriad un cyfraniad a gawsom. S. *leap-frog*. (H.V.J.)

**chwara' sled** Ar eira byddai rhai yn gwneud sled go-iawn fel un a welid yn y comics. Os mai ffrâm bren oedd iddo roedd angen hoelio haearn neu stribed o sinc oddi tanodd, ond os un haearn, plygu peipen i wneud y cledrau. Y lle i gael gafael ar heyrns o'r fath oedd tomen byd gwersyll gwyliau Butlins ym Mhenychain, lle roedd digonedd o hen fyrddau a chadeiriau glas o fetel ysgafn. Ond wir roedd *sheet* sinc syml yr un mor llithrig, wedi codi ei blaen a rhoi llinyn drwy ddau dwll i ddal gafael. Gwelir plant heddiw yn gwneud yr un peth ar sach plastig, sy'n well byth, yn mynd fel Aladdin ar ei garped. Nid y sled ydi'r broblem i blant Cymru ond yr eira!

**swigan mochyn** Mae gennym un cof cynnar am gael y bledren ar ddiwrnod lladd mochyn, wedi'i chwythu'n bêl wen fawr feddal i chwarae pêl-droed. Efallai bod angen ei golchi gyntaf a'i gadael i sychu am dipyn.

**chwara' tic** Chwarae dal ei gilydd, gan ddweud 'Tic!' wrth gyffwrdd rhywun.

(**triciau llinyn**) O un cenhedlaeth i'r llall fe ddysgir amryw o driciau efo llinyn yn cynnwys gwneud cwlwm neu batrwm efo'r ddwy law, sydd i'w weld yn gymhleth ond y medrir ei ddatod ag un plwc. Yn anffodus byddent yn anodd eu darlunio a bron yn amhosib i'w disgrifio, felly croeso i rywun arall wneud!

**Mi wela' i, â'm llygad bach i**
**R'wbath yn dechra' efo…**
Addasiad o S. *I spy* a ddeil mewn bri drwy'r wlad. Help mawr i gadw plant yn ddiddig yn y car!

## Chwaraeon bechgyn

Daw'r gemau blaenorol a'r rhai nesaf o gyfnod diwedd pedwardegau a phumdegau'r ganrif ddiwethaf. Megis dechrau oedd rygbi y ffordd acw, pan oedd rhai athrawon yn cyflwyno'r gêm yn ysgolion uwchradd y Gogledd yn ystod y pumdegau. Byddem yn nofio a chwarae tipyn o griced yn yr haf ond pêl-droed oedd hoff chwarae'r bechgyn, fel heddiw. Yn yr ysgol fach erstalwm y sied yng ngwaelod yr iard oedd un gôl, a dau grysba's (siaced) yn gôl ar dop yr iard. Byddai rhyw chwiw arall yn codi yn awr ac yn y man. Bu'r Parch. T.D.Williams, person Llanarmon yn ceisio'n dysgu i focsio yn hogiau bach yn hen ysgol wag Llanarmon, lle bu Eben Fardd yn ddisgybl.

**chwara' bwa-a-saeth** Pren ystwyth fel draenen neu onnen oedd y bwa, gan naddu rhigol yn agos i'r ddau ben i glymu'r llinyn. Wedi gorffen am y tro, datod un pen i'r llinyn ar mwyn cadw sbring y bwa.

**chwara' concars** Gêm bechgyn efo cnau castan, S. *conkers*. Cewch dri chynnig mewn gornest i geisio taro cneuen y llall, bob yn ail, a'r gêm yn gorffen pan fydd un yn deilchion. **'Faint ydi 'i hoed hi?'** yw'r cwestiwn am y goncar cyn dechrau, sef sawl un arall sydd wedi cael y farwol ganddi'n barod. Mae'n anodd cyrraedd deg oed!

Mae gan bawb ei ddull ei hun o galedu concar cyn ei rhoi ar linyn neu garrai esgid. Rhaid ei sychu'n araf rhag i'r gneuen fewnol grebachu a llacio a'r plisgyn gwag hollti'n hawdd. Ei chladdu mewn baw gwartheg y byddai rhai, ond roedd gwell oglau ar un wedi'i rhoi yn y das wair! Ond twt, mewn gwirionedd ni waeth i chi ei chadw yn eich poced ddim ac anghofio amdani am sbel.

**chwara' cowbois** Y lle i chwarae cowbois ar un adeg oedd y tir corsiog y tu ôl i Cefn Sêl, lle cynhelid arwerthiant anifeiliaid. Adeg yr Ail Ryfel Byd roedd yno ddigon o frwyn a thyllau i ymguddio i gael brwydr fawr, a sŵn gweiddi 'Bang John!' a 'Bang Ifan!' (E.J.)

**taflyd lasŵ** Y comics a'r pictiwrs pnawn Sadwrn ddaru'n dysgu sut i daflu lasŵ lathenni o bellter i ddal rhywun neu rywbeth. Rhoi dolen fawr drwy gwlwm rhedeg yn un pen i raff fain, cylchu gweddill y rhaff yn llac yn un llaw, troi'r ddolen yn chwim uwch y pen a'i thaflu draw fel cowboi. Ni chofiwn ddal yr un byffalo, dim ond llo bach.

**gwn caps** Dryll trwm yn agor i osod cylch o'r caps, y ffrwydradau bychain a brynid o siop y pentref, a'r clicied yn eu tanio, a'r mwg yn ogleuo a throelli fel gwn cowboi.

**haels** Y pelennau plwm a geir yn y **getrisen**, ll. **cetris** (S. *cartridge*) mewn dryll go iawn.

**gwn tatws** Torri cwilsan o bluen gŵydd, darn syth tua 2″. Yna cael pric tua 6″ gan naddu'r 2″ flaen i ffitio'r gwilsan. Wedyn gwthio'r cyfan – y gwilsan a'r pric – i mewn i dysan i'w lenwi. Gwneir hynny eilwaith y tro cyntaf un i gael dwy 'getrisen', fel bod gennych un ar ôl yn y gwn o hyd. Tanio'r gwn drwy ddal y gwilsan yn un llaw a gwthio'r pric yn sydyn â'r llall.

**hel wya' adar** Hobi sy'n anghyfreithlon bellach. Dim ond un o bob rhywogaeth fyddem ni'n hel, a chymryd dim ond un ŵy o nyth – ond roedd hynny'n ormod, wrth gwrs. Bechgyn fyddai wrthi a diddordeb didwyll mewn natur oedd yn ein cymell. Mae hynny'n swnio'n esgus gwan iawn heddiw, fel dadleuon y rhai sy'n cyfiawnhau hela anifeiliaid am sbort.

**chw'thu ŵy** Gwagio plisgyn ŵy aderyn drwy dwll pin yn ei ddeuben. Ni wnawn fanylu, dim ond nodi y byddai'n ofynnol i ddal yr ŵy at yr haul neu ei roi i nofio mewn dŵr i sicrhau nad oedd cyw ynddo.

*King*-**ar-y-wal** Gêm ar iard bechgyn Ysgol Chwilog, lle roedd wal gefn hir y Neuadd (neu Yr Hôl i ni) ar hyd un ochr iddi. Twr o blant yn rhannu i sefyll ar dop ac ar waelod yr iard wrth wal y neuadd, ac un plentyn yn aros yn barod gyferbyn â'r canol, wrth iard y genod. Byddai'r dyrfa yn rhedeg nerth eu traed i fyny neu i lawr gyda'r wal, a'r un plentyn yn rhedeg yn groes i drio dal rhywun. Roedd pob un a ddaliai yn ymuno ag ef hyd nes y byddai dim ond un cwit ar ôl heb ei ddal yn y diwedd, a hwnnw oedd y *King*.

**g'neud pib** Cedwir pib neu chwisl ar ffermydd i alw dynion i'r tŷ, ond gall plant wneud un eu hunain yn y gwanwyn a'r haf o bric glas o bren jacan (masarnen) neu onnen. Rhaid cadw'r bib yn llaith neu bydd y rhisgl ger y twll sain yn crino a malu erbyn trannoeth, ond ni phery'n hir p'run bynnag. Mae disgrifiad a brasluniau William George a geir yn llyfr Tecwyn Vaughan Jones braidd yn gymhleth, felly dyma ninnau yn ceisio rhoi cynnig arni, ganrif yn ddiweddarach!

(1) Torri pric trwch bys syth a llyfn, pedair neu bum modfedd o hyd, o frigyn ifanc (mae'n anos llithro'r rhisgl oddi ar bren aeddfed).
(2) Naddu pant i'r wefus dan y pen, torri bwlch bychan i'r twll sain fodfedd yn ôl ar y top, a hollti cylch main o gwmpas y rhisgl tua thair modfedd o'r pen.
(3) Gwlychu'r pren a churo'r croen yn llac ar rywbeth – yn ysgafn rhag iddo hollti – nes medru llithro'r rhisgl yn rhydd.
(4) Dyfnhau'r bwlch yn y pren i wneud cafn sain tua thraean o ddyfnder y pric, a naddu sglodyn oddi wrtho ar hyd y

top at y pen (mae nodyn y chwibaniad yn amrywio yn ôl maint y cafn a'r sglodyn). Llithro'r rhisgl yn ei ôl, a chwibanu – gobeithio!

**sling** Ffon dafl fforchog â dau rimyn o lastig o'r ddwy goes at ddarn o ledr i daflu carreg. Y rwber a ddefnyddiem ni yn y pumdegau oedd stribed hanner modfedd o led o hen diwb olwyn beic neu foto-beic. (Roedd gardas hosan yn iawn am sbel ond yna byddai'n llacio.)

**taflar** Enw arall ar sling gan rai.

**'taflu carreg i gap'** Ni chofiwn enw'r chwarae na'r manylion ond dyna, meddai 'Nhad, oedd un o hoff chwaraeon llanciau tuag adeg y Rhyfel Byd Cyntaf: pawb yn ei dro yn ceisio taflu carreg draw i gap stabal ar lawr ym môn clawdd neu wal.

**chwara' top** Chwipio top pren lliwgar nes bydd un ai'n chwyrlïo neu'n neidio, yn dibynnu ar y math o dop (gw. disgrifiad ac enwau yn *Teganau Gwerin Plant Cymru)*. Eithr dechrau cilio oedd y gêm yn y pumdegau, yn ein hardal ni beth bynnag. Wedi iddi ddiflannu am ddwy genhedlaeth, mae rhyw gwmni yn ceisio'i hatgyfodi gyda thop newydd ddaeth ar y farchnad yn ddiweddar, ond ni welsom neb yn ei chwipio hyd yn hyn.

**Japanî** Un o'r ffefrynnau o'r topiau. (R.D.J.)

**Rwyt ti fel pibi-down** Dweud wrth blentyn am eistedd yn llonydd. Top neidio main â phen clap yw pibi-down.

**tractor rîl** Dyna oedd braint rîl edau wag erstalwm – cael bod yn dractor bach yn symud ohono'i hun o gwmpas y tŷ a dringo dros bob math o rwystrau. Dyma sut i wneud y tegan hawdd a hoffus yma ar fwrdd y gegin (mae angen cyllell boced, cannwyll, sbilsen gynnau tân, coes matsien, tin-tac, a thri band lastig rhwng chwarter a hanner modfedd o led):

*Uchod a dde: da bod yr enwau diddorol ar Ysgol Chwilog yn dal yno. Ceir hen ddrws y genethod yn ochr dde'r adeilad (yn adlewyrchu tai Groesffordd yn y gwydr), yr ochr groes i hen ddrws y bechgyn.*

*Dde ac isod: gwneud pib a thractor rîl.*

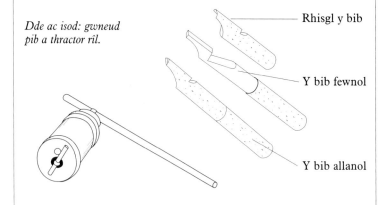

Rhisgl y bib

Y bib fewnol

Y bib allanol

(1) Gosod band lastig bob un am ddwy ymyl y rîl i efelychu teiars. (Hen diwb beic wedi'i dafellu oedd ein band lastig ni, cyn y bandiau parod o'r siopau. Neu ar rîl bren gynt torri pigau rownd y ddwy ymyl efo'r gyllell; roedd yn debycach i deiar dractor go-iawn ond nid mor effeithiol ar le llithrig – yn troi dano ar oelcloth!)

(2) Gwneud washar wêr lithrig drwy dorri tafell o'r gannwyll bron hanner modfedd neu dros centimedr o drwch, yna crafu twll drwy'i chanol efo blaen y gyllell.

(3) Gwthio'r band lastig arall efo'r sbilsen drwy dwll y rîl nes bod clust gron ohono yn ymestyn allan bob ochor. (Gardas oedd gennym ni os nad oedd lastig ar gael.)

(4) Torri'r fatsien yn ei hanner a gwthio darn drwy un glust lastig i'w dal yn dynn ar ochr y rîl. (I rwystro'r darn matsien rhag troi yn nes ymlaen, mae'n help curo tin-tac i'r naill ochor iddi fel bod y fatsien yn gorffwys yn ei erbyn yn dynn.)

(5) Rhoi'r washer dros y glust lastig arall, a gwthio un pen i'r sbilsen drwy'r glust.

(6) Mae'r tractor yn awr yn barod i'w danio! Weindio'r lastig mewnol drwy droi coes hir y sbilsen drosodd droeon nes bydd yn dynn. O'i ollwng, symuda'r tractor dros fryn a dôl tra pery ynni'r lastig, â'r gynffon sbilsen yn ei gadw rhag rowlio drosodd.

O.N. Byddem weithiau'n cael gafael ar rîls mawr 4″ gan Wmffra Crydd, i wneud homar o dractor rîl! (R.D.J.)


**chwara' tryc** Ystyllen bren dros lathen o hyd ar bâr o olwynion mawr ar echel sownd dan y cefn a phâr o olwynion llai ar echel rydd yn y blaen. Roedd yr echel gefn wedi'i styffylu'n syth i'r 'styllen, ond câi'r echel flaen ei styffylu dan ddarn o bren 2″ x 1″ gyda phowltan a washiars drwy ganol hwnnw a blaen y 'styllen i droi'r echel i'r naill ochr i lywio. Roedd olwynion coets (pram) yn dda yn y cefn, a rhai coets gadair isel yn y blaen, fel y gwelir yn y ffotograff penigamp yn llyfr Tecwyn Vaughan Jones. Byddech yn eistedd ar y styllen â'ch traed yn llywio'r echel flaen, a rhywun arall yn gwthio neu'n tynnu ar linyn nes dod at riw go dda. Byddai genethod yn ei ddefnyddio hefyd, ond mae'n siŵr mai difyrrwch hogiau ydoedd yn bennaf.

## Chwaraeon genethod

Buan y gwelsom nad yw pawb ohonom yn cofio'r un chwaraeon. Roedd llawer o ddisgyblion yn yr ysgol erstalwm a ninnau'n cael cryn ryddid i fynd a gwneud fel y mynnem yn wahanol griwiau bach. Nid oedd y genod chwaith yn hel at ei gilydd i chwarae'r un gêm o hyd fel yr hogiau â'u pêl-droed dragywydd, felly tybiwn bod ein chwarae yn fwy amrywiol – a mwy creadigol efallai!

Serch hynny nid chwarae ffurfiol oedd hi bob dydd. Dewis rhai weithiau oedd mynd i chwarae yn Llyn y Felin oedd yn sych ers blwyddi lawer, ac eraill yn yr haf yn rowlio i lawr y cae dros y ffordd i'r fynwent – toedd y dillad ddim yn lân iawn erbyn hynny, debyg. Yn yr awr ginio y byddai hynny, mae'n siŵr; caem fynd o'r ysgol amser cinio, cyn belled â winllan Brynrhydd weithiau neu ar hyd Lôn Bach ac i lawr y Lôn Las bron mor bell â Brynbachau. Ond toedd pob man mor ddiogel?

Chwaraeon ysgol uwchradd ar y cyfan yw hoci, pêl rwyd, *rounders* a thenis, ac mae'n debyg mai chwaraeon oed ysgol gynradd yw'r rhan fwyaf o'r isod. Os na ddywedir yn wahanol, daw'r gemau o gyfnod diwedd y tridegau a'r pedwardegau. Hoffem wybod yr ateb i un dirgelwch – sut daeth y gemau Saesneg i'r ysgolion gwledig a hynny cyn y teledu, yr ifaciwîs na'r mewnlifiad diweddarach? Dylanwad iaith yr addysg... merched yn gweini yn y dinasoedd... perthnasau o rannau eraill o'r wlad? O.N. Gyda llaw, llyfr bach difyr yn disgrifio fersiynau o rai o'r rhain gyda lluniau da ac alawon yw *Party Games*, Ladybird Books, 1982.

**chwara' drama** Pawb yn gwisgo'u cotiau tu ôl ymlaen, gan glymu'r llewys tu ôl fel clymu ffedog. Yna ffeirio capiau neu berets – hynny'n bwysig iawn! Mae'n siŵr mai'r dylanwad oedd yr holl ddramâu a gynhelid yn y Neuadd bryd hynny yn ystod y gaeaf, a'r seddau blaen yn llawn o blant direidus. (Rh.E.)

Mae pob ardal drwy'r wlad yn cofio'r cwmnïau prysur hynny a wnaeth gymaint o gyfraniad i'r diwylliant Cymraeg cyn oes y ddrama deledu a'r ddrama sebon. Mae'n dda bod yna rai yn dal ati o hyd. Mae gan deledu ei hud, a ffilm wrth gwrs, ond nid yw'r un fath â'r wefr honno a gaiff ei rhannu rhwng cynulleidfa – cyfrinach criw arbennig o bobl ar ryw noson arbennig. Ac yn wahanol i raglen deledu sâl, mae drama wan o leia'n hwyl i'w thrafod wedyn.

**Mae'r ffarmwr isio gwraig** Ein fersiwn ni o *The farmer wants a wife* (gw. chwaraeon Llanystumdwy). Aeth y penillion eraill yn angof.

| | |
|---|---|
| Mae'r ffarmwr isio gwraig, | (.s‚ d.,d d.,d d -.) |
| Mae'r ffarmwr isio gwraig, | (.d m.,m m.,m m –) |
| Hei ho, hei di ho, | (s l s.,m d.,) |
| Mae'r ffarmwr isio gwraig | (.,r m.,m r.,r d –) |

**chwara' hosbitol** Nyrsus ac ambell i ddoctor, a'r cleifion bach i gyd yn dedi bêrs a doliau. Byddem yn defnyddio inc o wahanol liw e.e. coch, glas, gwyrdd i wneud y ffisig, a cherrig mân yn dabledi. (H.V.J., a aeth yn nyrs wedyn!)

***hula-hoop*** Y cylch ysgafn i'w ddroelli rownd y wasg a ddaeth o America (ag enw o Hawaii) am gyfnod byr, pan oedd ein chwaer ieuengaf yn yr ysgol fach ddiwedd y pumdegau.

***I wrote a letter to my love*** Ffurfio cylch o enethod, ac un yn cerdded rownd gan gyffwrdd pob un a dweud, '*Not you … not you …*' ac yn y blaen, nes dewis yr un – '*… but you!*' Wedi gollwng hances boced (dyna oedd y llythyr!) tu ôl i honno, rhedeg rownd y cylch a'r un a gafodd yr hances yn rhedeg yn groes – y ddwy am y cyntaf i gyrraedd y lle gwag. Yr un oedd allan sy'n cerdded rownd efo'r 'llythyr' wedyn. O.N. Roedd amryw o ysgolion yn chwarae hon.

*I wrote a letter to my love*
*And don't know where I put it;*
*Has one of you just picked it up*
*And put it in your pocket?*

**pig in the middle** Gêm pêl genethod, yn taflu i'w gilydd o gyrraedd un yn y canol.

**pont y seiri** Yr un gêm ag *oranges and lemons.* Dwy eneth yn wynebu ei gilydd a chydio dwylo i ffurfio pont, yna gofyn y cwestiwn yn y llinell gyntaf isod. Mae'r plant yn ateb yn yr ail linell, ac yn mynd yn rhes fel trên o dan y bont. Pan fyddai'r olaf yn mynd drwodd roedd y bont yn ceisio dod i lawr a'i dal. Gofynnid iddi ai oren neu lemon oedd hi – 'orenj 'ta lemon?' – i benderfynu pa dîm fyddai'n ei chael. Âi'r tren rownd lawer gwaith cyn y byddai pob un wedi'i ddal, job anodd efo ambell un. Wedi ffurfio dau dîm go lew, byddai *tug-of-war* i orffen.

**Pwy ddaw, pwy ddaw dan bont y seiri?**
**Nyni, nyni a'n holl gwmpeini**

> **pwy ddaw, pwy ddaw, dan bont y glaw** Dyna'r fersiwn a gofia un ohonom. (H.V.J.)

**chwara' portsh** Neu weithiau S. *hopscotch* ac weithiau London, gêm ar batrwm o flychau wedi eu rhifo mewn sialc ar lawr caled. Honna rhai iddi gael ei dyfeisio bron i ddwy fil o flynyddoedd yn ôl i ddynwared ymarferion a wnâi milwyr Rhufeinig ar gowt mawr. Tybed ai tarddiad yr enw portsh ydi'r to a geir ar y top weithiau sy'n rhoi iddo ffurf tebyg i bortico neu bortsh drws ffrynt tŷ â'i do pig neu grwn?

Byddai'n saff i chwarae portsh ar lôn fawr y pentref erstalwm – dim ond plismyn cwsg a welir ar honno heddiw! Er hynny mae'r hen gêm yn dal yn fyw os gwelwch batrwm sialc weithiau ar balmant tawel neu iard ysgol, yma ac acw drwy'r wlad. Prawf o'i phoblogrwydd yw bod y patrwm a'r rheolau yn amrywio'n hynod o le i le (ac o wlad i wlad, mae'n debyg). Rhwng dyrnaid o ffrindiau yn yr un ardal rydym yn cofio pedair fersiwn wahanol, ac nid yr un enwau a gofiwn arnynt! (Portsh oedd yr enw ar *hopscotch* yn Ysgol Trefor yn Arfon hefyd – S.E.) Dyma'r ddau fath y cofiwn eu chwarae yn Chwilog (gw. y ddau fath arall yn adran Abererch). Tybiwn ar y cyfan y byddem ni tua'r pedwardegau yn galw'r patrwm cyntaf yn portsh a'r ail yn London.

**portsh** Rhywbeth tebyg i'r braslun oedd y patrwm cyntaf, a dyma'r drefn yn fras. Lluchio carreg fach i flwch 1 i ddechrau. Neidio ar untroed drwy rif 1, 2 a 3, yna ar ddeudroed efo'i gilydd i rif 4/5, untroed i rif 6, deudroed i rif 7/8, ac i'r hanner cylch i droi'n ôl. Tebyg y ceir dewis gorffwys am funud yno cyn dilyn yr un camau yn ôl i rif 2, yna i rif 1 ar un droed gan blygu i godi'r garreg yr un pryd, ac allan. Dechrau eto yr ail dro gan luchio'r garreg i flwch 2, wedyn y trydydd tro i flwch 3, etc! O.N. Rhaid cadw'r garreg a'r droed y tu mewn i'r blwch gan beidio syrthio rhag mynd allan o'r gêm. Aiff yn anos o hyd i daflu'r garreg draw yn gywir, a'r un a lwydda i fynd bellaf sy'n ennill.

**London** Efallai y byddai hon yn cael ei galw'n portsh weithiau hefyd, ond ei phatrwm yn fras fel yn ôl y braslun. Roedd y blychau sialc yn sgwâr ond y drefn yn gylchog, a byddem yn ei chwarae efo carreg weithiau (gw. y gemau tebyg yn Abererch) ond yn aml iawn efo pêl. Y drefn oedd sboncio ar un droed o un blwch i'r llall gan fownsio pêl unwaith ym mhob blwch nes cyrraedd adref i rif 9 (sef Llundain?). Wedyn troi a sboncio'n ôl i rif 1. Wedi llwyddo i gadw'r droed a'r bêl oddi mewn i'r ffiniau bob tro, cychwyn yr ail dro gan fownsio'r bêl ddwy waith ym mhob blwch. Yna'r trydydd tro deirgwaith yr un, ac yn y blaen.

**sgipio** Byddai gan y genod bron i gyd gortyn sgipio, er bod rhai'n cael eu cadw yn yr ysgol gynradd. Roedd yn yr ysgol hefyd gortyn llawer hirach a byddai dwy o'r genethod, un ym mhob pen, yn troi'r rhaff yn bur gyflym i rywun arall sgipio dros ganol y rhaff. Y gamp yw neidio i mewn ac allan gan ddal ati i sgipio, a mwy nag un yn mynd i mewn yr un pryd weithiau.

**chwara' *tens* / chwara' tensi / chwara' tensus** Taflu pêl fach at wal yr ysgol, gêm boblogaidd iawn yn iard y genod. Rhaid oedd taflu'r bêl ddeg gwahanol ffordd at y wal gan gyfrif i lawr o ddeg i un, a'r deg ffordd o daflu yn gorfod bod yn yr un drefn bob tro. Amrywiad arni oedd taflu dwy bêl yr un pryd; ambell un fel Valmai, Minafon yn jyglo tair, meddai hi – tipyn o gamp, mae'n sicr!

**chwara' tŷ bach** Chwarae hon gartref fel genethod pob oes, ond hefyd yn iard yr ysgol, yn y gornel dwt tu ôl y giât ger Bryn Awel, tŷ'r gweinidog. Byddem yn gwneud y tŷ bach efo cerrig. Cofio gwisgo amdanom yn grand a siarad yn neis – un yn dweud 'Doctor ydi 'ngŵr i!,' un arall yn dweud 'Dentist ydi 'ngŵr i!' (L.R.)

**chwara' ysgol bach**

## Chwaraeon genod Abererch

Mae pentref cyfagos Abererch ('Berch i ni) ar ffin Llŷn ac Eifionydd – y ffin yw afon Erch sy'n llifo drwy'r pentref – nid nepell o Bwllheli, 'prifddinas Llŷn'. Dywed Grace Jones a fagwyd ar fferm Prior, Abererch bod Janet Jones, Prior yn cofio *Mother, mother, I am sick* yn Ysgol Tudweiliog. Roedd bri ar 'London gron' mewn dwy ardal arall ym Mhen Llŷn – Jennie Owen, Ty'n Gors yn ei chofio yn Ysgol Dinas, a Lora Roberts isod yn cofio'i chwarae efo perthynas iddi yn Llangwnnadl, ond nid gartref yn Llanystumdwy. Digon tebyg oedd llawer o'r chwaraeon ym mhob man, wrth gwrs, ond mae Grace yn cofio rhai gwahanol i ni yn ogystal. Diolch i'w chof arbennig dyma rai o gemau merched Ysgol 'Berch – tua dechrau'r dauddegau! (G.J.)

**portsh 'Abererch'** (Nid oedd enw'r pentref yn rhan o'r enw gan y plant, wrth reswm – disgrifiad er hwylustod ydyw i'w wahaniaethu oddi wrth ffurf y portsh yn Chwilog.) Mae ffurf 'banerog' Abererch yn un diddorol, yn edrych yn wahanol ac eto'n cyflawni trefn debyg i eiddo'r ffurfiau mwy cyfarwydd. Yr her ydi sboncio tra'n cicio carreg fach wastad ymlaen yn daclus drwy'r sgwariau rhifedig fel hyn: ar untroed drwy rifau 1–4, ar ddwy droed yr un pryd i rifau 5/6, ac ar untroed drwy rifau 7–9. Yna troi a gweithio'n ôl i rif 1. Fel yn y chwarae portsh, os oedd y garreg neu droed yn digwydd aros ar linell byddai'r plentyn allan o'r gêm. O.N. Yn hytrach na chicio carreg drwy'r sgwariau, bownsio pêl y byddent weithiau – oedd yn gynt, mae'n siŵr.

**London gron** Ffurf crwn o London, â'r blychau sialc ar lawr (ni wyddys pa nifer) yn troelli fel cragen. Ymddengys yn anos fyth – yn wir, tybed nad yw amryw o gemau'r genethod yn fwy anodd na gemau pêl yr hogiau?! Y gêm oedd sboncio ar un droed yn unig gan gicio carreg ymlaen o un blwch i'r llall nes cyrraedd y canol. Unwaith eto, peidio gadael i'r garreg na'r droed aros ar linell.

*Mother, mother, I am sick* Holi ac ateb i ddechrau. Wedi gofyn y cwestiwn olaf, mae'r eneth yn sgipio drwy raff gymaint o weithiau ag sy'n bosib' cyn baglu neu ddiffygio, i gyfrif pa sawl blwyddyn y bydd hi fyw!

*Mother, mother, I am sick,*
*– Send for the doctor, quick, quick, quick!*
*Doctor, doctor, will I die?*
*– No my darling, don't you cry.*
*How many years will I live?*

*One, two, three, alera* Bownsio pêl ar y wal dan ganu oedd y gêm ac mae Grace yn dal i gofio'r drefn: ar bob alera, codi coes dros y bêl; ar y 4ydd alera, troi rownd cyn dal y bêl.

| | |
|---|---|
| *One, two, three, alera,* | (d.d d.m r d ) |
| *Four, five, six, alera,* | (r.r r.f m r ) |
| *Seven, eight, nine, alera,* | (m.m m.s <u>f.m</u> r ) |
| *Ten alera – catch it* | (d.d d.m r d ) |

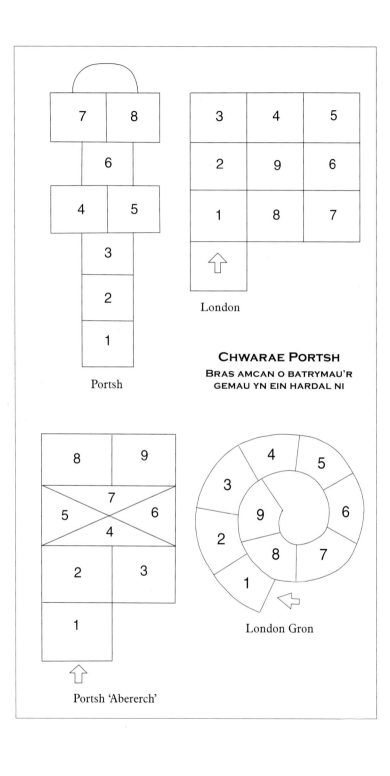

Portsh

London

**CHWARAE PORTSH**

**BRAS AMCAN O BATRYMAU'R GEMAU YN EIN HARDAL NI**

Portsh 'Abererch'

London Gron

(O.N. Yn yr un gêm tua diwedd y pedwardegau ym mhen arall y wlad yng Nghwm Rhondda, y drefn ar bob alera oedd gwneud unrhyw gamp gyda'r bêl, fel ei symud tu ôl i'r cefn, codi coes etc. Diwedd y gân yno oedd '*catch the ball*'.)

## Chwaraeon genod Llanystumdwy

Yn Amgueddfa Werin Cymru ceir llawysgrif heb ei chyhoeddi gan William George, Cricieth yn disgrifio chwaraeon plant (bechgyn ar y cyfan) Llanystumdwy yn Eifionydd yn chwarter olaf y 19eg ganrif. Gwnaed defnydd helaeth ohoni yn y llyfr *Teganau Gwerin Plant Cymru* a grybwyllwyd uchod. Mae'r hanner dwsin isod yn ddiweddariad (bron ddwy genhedlaeth yn ddiweddarach) at gofnod William George, ac yn bwysicach yn ychwanegu gemau'r genethod. Cawsom y rhain drwy garedigrwydd Lora Roberts, 1 Maen-y-wern, Llanystumdwy, yr olaf ysywaeth o deulu llengar adnabyddus Blaen-y-wawr. Mae darllenwyr *Y Ffynnon* a *Llafar Gwlad* yn gyfarwydd ag ysgrifau Lora am ei hardal, ond ni thrafododd chwaraeon ac eithrio ar y cyfryngau, felly dyma fachu'r cyfle i gofnodi rhai o gemau ysgol y pentref tua dechrau'r tridegau. (L.A.R.)

**Bobi Bingo** Byddent yn canu llawer o'r gemau, meddai hi, a dyma un. (Yn y cytgan, sillafu'r enw fesul llythyren, yn Gymraeg.)

Unwaith roedd gen ffarmwr gi ( d  d  s₁  s₁  l₁  l₁  s₁ )
Â'i enw Bobi Bingo. ( s₁  d  d  r  r  m – d – )
B - i - n - g - o, ( m –  s –  f  f  f – )
B - i - n - g - o, ( r – f – f  m  m – )
B - i - n - g - o, ( d – m – m  r  f )
A'i enw Bobi Bingo! ( r̲.d̲  t₁  s₁  l₁  t₁  d – d – )

**bwgan y ffynnon** Mae un plentyn, sef y bwgan, yn y ffynnon – ddychmygol, wrth reswm. Y plant eraill yn ei herian ac yntau'n neidio allan i geisio'u dal. Y sawl gâi ei ddal fyddai'r bwgan nesaf. Ni fyddai'n gwisgo mwgwd, mae'n debyg – yn

59

wahanol i'r gemau tebyg uchod, John Jôs cae tatws a mwgwd iâr. O.N. Byddent yn chwarae mewn cae tu ôl i'r ysgol a'r eglwys; mae stâd o dai wedi eu codi yno erbyn heddiw.

*The farmer wants a wife* Cân sy'n wybyddus mewn ardaloedd eraill, ond mae'r cytgan a'r enwau ar ôl y pennill cyntaf ŷn amrywio llawer. Yn ôl y llyfr *Party Games* mae'r plentyn olaf (sef y ddol yn Llanystumdwy isod) yn newid lle efo'r ffermwr ar ddiwedd y gân, a'r gêm yn dechrau eto.

Mae'r plant yn cydio dwylo mewn cylch o gwmpas y ffermwr yn y canol. Wedi iddynt ganu'r pennill cyntaf mae'r ffermwr yn dewis un o'r cylch yn wraig, a hithau'n dod ato i sefyll yn y canol. Yr un fath ar ôl pennill 2 a 3, dewis plentyn arall i ddod i'r canol. Ar ôl pennill 4, gan na fedr y ddoli sefyll mae'n syrthio, a dyna ddiwedd y gêm!

1. *The farmer wants a wife,*
   *The farmer wants a wife,*
   *Aye aye, diddle-de-aye,*
   *The farmer wants a wife*

2. *The wife wants a baby, etc.*
3. *The baby wants a doll, etc.*
4. *But the doll can't stand! etc.*

**Jini Jôs** Gêm i'w hadrodd, ac un hoffus iawn fel y mae Lora yn ei dweud hi.

Plant: Musus Jôs, Musus Jôs, ddaw Jini Jôs i chwara'?
Mam: (*yn ysgwyd ei phen*) Na ddaw, mae hi'n sâl.
Plant: (*yn ddigalon*) Drwg iawn, drwg iawn, ddaw Jini Jôs ddim i chwara'.
Plant (eto): Musus Jôs, Musus Jôs, ddaw Jini Jôs i chwara'?
Mam: Daw – mae hi yn dwad.
Plant: (*yn falch*) Da iawn, da iawn, mae Jini Jôs *yn* dwad i chwara'!

**chwara' ledis** Mynd i Siop Mrs Jôs, sef Elin Jones, Highgate – bwthyn bach, cartref Lloyd George – i brynu'r fferins neu

*Ysgol Llanystumdwy o hen lun ar gerdyn post Frith. Gw. yr eglwys yn y cefndir, a thros bont afon Dwyfor hen gapel y MC (a'r tŷ oddi tano) a losgwyd i'r llawr yn 1935.*

*Lora Roberts (nee Williams) tua 5 oed yn y 30au cynnar ar lawnt plas Gwynfryn, a fuasai'n gartref iddi.*

*Grace Jones tuag 8 oed yn y 20au cynnar, wedi mynd â'i het orau i Ysgol Abererch i dynnu ei llun gan y Scholastic Souvenir Co., Blackpool.*

felysion a alwai'r plant yn **cachu llygod Llunda'n** (S. *liquorice comfits*). Roedd y rheiny'n lliwio'u gwefusau yn goch! Yna cogio gwisgo'n grand, a *rhaid* oedd siarad Saesneg! Mae'n debyg mai dynwared ledis plasau Talhenbont a'r Gwynfryn oedden nhw. Dim rhyfedd: bu Lora a'i theulu yn byw yn y Gwynfryn am bum mlynedd pan oedd ei thad yn saer yno. (O.N. Byddai genod Trefor yn chwara' ledis hefyd – S.E.)

**nuts in May** Fel *The farmer wants a wife*, mae'r gêm Saesneg yma hefyd yn adnabyddus ond yn amrywio. Dynwared hel cnau y mae, â dau dîm o tua 6 i 8 yn sefyll mewn dwy res yn wynebu ei gilydd. Cofiai rhai ohonom ninnau chwarae hon eto, ond nid oedd y cof gystal ag un Lora! Alaw: *The Mulberry Bush* (d d d d – m s – m d –):

1. *Here we go gathering nuts in May, nuts in May, nuts in May,*
   *Here we go gathering nuts in May*
   *On a cold and frosty morning.*
2. *Who can we have to pull away, pull away, pull away?* etc.
3. (Un tîm yn canu enw geneth o'r tim arall, yna'i thynnu i'w tîm nhw.)

Mae'r llyfr *Party Games* yn disgrifio'r ddwy res o blant yn dal dwylo gan symud yn ôl ac ymlaen at ei gilydd dan ganu. Ceir pum pennill yno; yr un tîm sy'n dewis cneuen o'r rhes arall ym mhennill 3, ac yn dewis un o'u tîm eu hunain i'w thynnu allan ym mhennill 5, felly bydd pawb wedi cael eu hel i un ochr yn y diwedd:

1. *Here we come gathering nuts in May, etc.*
2. *Who will you have for nuts in May, etc.*
3. *We'll have ... for nuts in May, etc.*
4. *Who will you send to pull her away?* etc.
5. *We'll send ... to pull her away, etc.*

O.N. **pont y seiri**: byddent hwythau'n chwarae hon (gw. Chwaraeon Genethod); ychydig dros ddwy filltir o bellter sydd o Chwilog i Lanystumdwy, fel ag i Abererch.

## Atodiad: Chwaraeon o lefydd cyfagos

**bach a phowlyn** Yr un gêm â chwarae cylch ond mae'n werth cofnodi atgof un o'r ardal a ddaw'n wreiddiol o **Ddeiniolen** yn Arfon. Bach a phowlyn oedd yr enw ar fachyn a chylch yno meddai hi (yn y pedwardegau). Nid yn efail y gof yr oedd plant Deiniolen yn eu cael chwaith ond yn ffowndri chwarel Dinorwig, y powlyn a'r bachyn am ryw chwecheiniog. Roedd y ffowndri yn lle mae Amgueddfa Lechi Gogledd Cymru heddiw, yn Llanberis. (M.J.)

**chwara' bando** Mae'r cyfrannydd yn cofio'i mam yn sôn am chwarae bando yn ardal **Garndolbenmaen,** Eifionydd ond nid y gêm bat-a-phêl Gymreig debyg i hoci chwaith. (Os oedd yn efelychiad o honno dyna awgrym ei bod hithau yn cael ei chwarae yma ar un adeg.) Yr hyn a gofia hi yw mai efo botymau y byddent yn ei chwarae, a'u bod yn mynd i'r ffatri wlân i gael y botymau. (E.Ws.)

**chwara' coits** Mae'n bosib bod hon yn debyg i'r gêm sy'n dal yn fyw mewn rhai ardaloedd, sef taflu cylch haearn neu bedol at bostyn. Mae'r atgof yma o ardal **Cricieth** yn Eifionydd yn niwlog ond roedd yn cynnwys 'rhoi pren mewn cacan fwd bob deg llath'. (H.V.J.)

**felin ddŵr** Os oedd hi 'run peth â'r olwyn ddŵr ai peidio, y cyfan a wyddom am yr olwyn felin fach hon yw bod dau ddarn o bren ynddi a'i bod hithau'n troi mewn ffos – ar ryw fath o echel, mae'n siŵr – yn ardal **Cricieth** eto. (H.V.J.)

**grand old Duke of York** Gêm yn **Neiniolen** â dwy res o enethod yn ffurfio pont – nid yn annhebyg efallai i bont y seiri. Mae'r pennill Saesneg yn dra chyfarwydd:

*The grand old Duke of York*
*He had ten thousand men...*
ac yn y blaen. (M.J.)

***In and out the stocking bluebells*** Enw ifaciwîs **Deiniolen** ar gêm pont y seiri. (M.J.)

**y llwynog yn dal yr ieir** Byddai tad plant Moelfre, **Pennant** yn Eifionydd yn y dauddegau yn gwneud bwrdd o sgwariau du a gwyn, fel bwrdd draffts. Roedd y chwarae yn bur debyg i ddraffts ond wrth yr enw Cymraeg diddorol yma y byddent yn ei alw. (K.W.)

# Byw a Bod

**Adwyn i mo'no fo** Gan rai o'r hen do, y person cyntaf unigol o'r ferf adnabod oedd adwyn, nid adwaen; h.y. 'dwi ddim yn 'i nabod o'.

**Be' ydi'r bystôd\* sy' arnat ti?** Hynny yw, beth yw'r rhus a thrafferth.

**yn bastodi\*** Am fuwch yn anniddig ac aflonydd ar ei thraed. Yn ôl GPC ceir berf pystodi neu bystodi, rhuthro a charlamu'n wyllt. S. *bestood.*

**yn pystylad** Twrw carnau ceffyl neu fuwch yn curo'r llawr.

**Bob yn ail y bydd cŵn da yn rhedag** Cyngor i rannu baich.

**Cadw ci a chyfarth dy hunan** Gwneud tasg yr ydych wedi talu i rywun arall ei gwneud.

**Cowlad bach a'i gwasgu'n dynn** Cyngor i gario llai o lwyth i wneud tasg yn fwy effeithiol yn lle ymlafnio i gario gormod o goflaid ar y tro. Mae hwn yn gyngor hefyd i gymryd llai o faich bywoliaeth – mewn busnes, er enghraifft.

**llwyth dyn diog** Gormod o lwyth, yn anhylaw ac yn tueddu i wastraffu eiddo ac amser.

**byw dros brwsh** Cyd-fyw heb briodi. Dywediad craff, oherwydd mae'n anodd meddwl am ddim byd llai sanctaidd i'w rannu na brwsh!

**byw tali**

**byw fel iâr dan badall** (1) Bod gartref yn gaeth gan ofalon neu brysurdeb, ac heb gyfle i fynd allan i weld ffrindiau. (2) Rhywun sy'n benisel. Mae'r ddau yn cyfeirio at yr 'iâr ori' y soniwn amdani yn adran Byd Natur.

**byw yn y dorth** Yn ddiwaith.

**Mae o ar y dorth** Dywediad diweddarach am ddiweithdra.

**Cacha mot, mae prins 'di g'neud!** Estyniad gwreiddiol o'r ebychiad nesaf. Yr enw ci defaid Mot a'r enw ceffyl Prins sydd yma, wrth gwrs. Rhai Saesneg crand fel Queen a Prince yw enwau ceffylau gwaith fel rheol – Belle oedd ein caseg ffyddlon ni – yn adlewyrchu eu gwerth o'u cymharu â'r buchod â'u henwau Cymraeg syml fel Seren a Tinwen. Ond mae'r cyfan yn hen ffasiwn yn ôl stori yn y wasg Saesneg, wedi eu disodli yn Lloegr gan enwau poblogaidd fel Madonna a David Beckham. Ni welsom ymchwil gan y wasg Gymraeg ond siawns bod yna greaduriaid o'r enw Bryn Terfel, Dafydd Iwan neu Ryan Giggs – wel, Dai Jones o leiaf!

**Cachu mot!** Ebychiad ar ôl gwneud llanast o ryw dasg.

**poitsh / poitsh glân** Blerwch neu ddryswch llwyr, fel cawl potsh yn y de. S. *potch*. Gall poitsh fod yn flerwch llythrennol hefyd: 'Cer â'r 'sgidia' budur yna o'r tŷ yn lle **poitshio**'r llawr.'

**sgid hwch** Mynd i strach neu wneud llanast o bethau. Gwelir yr hen hwch druan yn llithro yn ei baw ar lawr caled gwlyb! (W.S.J.)

**smonach** Gwneud stomp. Dywed GPC mai amrywiad o'r nesaf ydyw.

**smonaeth** Daw o hwsmonaeth, sef yn y cyswllt hwn hwsmonaeth wael.

**stremitsh** Annibendod llwyr. 'Mi a'th y cwarfod yn stremitsh' neu 'Mae hi wedi g'neud stremitsh o betha''.

**ca'l 'i gefn ato** Sythu, yn y cyswllt o hel digon o gelc i roi bywoliaeth neu fusnes ar ei draed.

**ceg y byd** Pan fyddwch yn destun siarad pawb am ryw wrhydri – neu'n groes i hynny, am wneud stremitsh. 'Argol, mi fydda' i'n geg y byd rwan.'

Teimlwn y gallai'r dywediad yma o bosib daflu llygedyn o oleuni ar gilfach ddiddorol ym marddoniaeth gynnar ein cenedl. Un o'n trysorau hynotaf ar sawl cyfrif yw *Edmyg Dinbych*, awdl o ddiwedd y nawfed ganrif, mewn saith pennill o tuag wyth llinell yr un. Meddyliau bardd llys anhysbys ar Ddydd Calan ydyw yn canu mawl hyfryd i gaer hardd Dinbych-y-pysgod, eithr dan gwmwl rhyw gweryl a phryder am ddyfodol y llys wedi marw'r brenin Bleiddudd. Mae'n cynnwys cyfeiriad enwog at ryw lawysgrif Gymraeg werthfawr.

Nodwedd bwysicaf y gerdd yw'r darlun o safle'r bardd, a gawsai'r fraint ar y Calan o wisgo porffor a rhannu gwely'r brenin. Mae'r disgrifiad o'r profiad hwnnw'n rhagflaenu'r llinell hon: 'hyny fwyf tafawt ar veird prydein'. Hynny yw, 'hyd oni fwyf yn dafod i feirdd Prydain' (sef tir y Brythoniaid). Mae barddoniaeth gynnar yn llawn cyfeiriadau enigmatig na ellir bod yn bendant yn eu cylch, ond wedi dehongliad galluog Ifor Williams o'r gerdd yn Nhrafodion y Cymmrodorion, 1940, cafodd y llinell hon ei hystyried yn gyfraniad at y dystiolaeth am radd prifardd proffesiynol yn yr Oesoedd Canol Cynnar. Yn wir, dywed Geraint Gruffydd** y gallai olygu ei fod yn llefarydd ar ran y beirdd oll mewn urdd farddol.

Byddai'n drueni lliniaru'r fath dystiolaeth! Eithr mae bodolaeth y dywediad gan hen ffermwyr Eifionydd, ceg y byd, yn codi amheuon braidd. Ni allwn beidio clywed tinc yr un ffunud ag ef yn 'tafod i feirdd Prydain' – yn golygu'n syml iawn, felly, 'yn destun siarad beirdd y wlad i gyd'. (Cydddigwyddiad diddorol, gyda llaw, yw'r cyfeiriad yn nhrydydd pennill y gerdd sy'n awgrymu, mae'n debyg, mai wedi dychwelyd i Benfro y mae'r bardd – o Eifionydd).

Beth bynnag, os oes sail i'r dyfaliad neu beidio, deil y llinell yn dyst bod y beirdd oll yn adnabod y bardd, neu o leiaf yn gwybod amdano. 'Ceg y byd', felly!

\*\*'*Edmyg Dinbych*'. *Cerdd Lys Gynnar o Ddyfed*, Aberystwyth: Canolfan Uwchefrydiau Cymreig a Cheltaidd, 2002, 30tt. Dehongliad diddorol a chraff o'r gerdd a'i chefndir, a'r testun yn yr iaith wreiddiol gydag addasiad i iaith gyfoes.

**Ceir damwain weithia' o'r llaw i'r gena'** Rhybudd ei bod yn hawdd iawn cael damwain neu anffawd yn annisgwyl unrhyw amser.

**rhoid clec ar y bawd** Mynd a gadael rhywun neu rywbeth neu rywle, heb falio dim. 'Mi roth hi glec ar 'i bawd a'i ada'l o'.

**colli cyrdít ar betha'** Colli gafael ar dasg, neu golli golwg ar y nod. O'r S. *credit* efallai.

**crybina**\* Byw yn gynnil dros ben, yn wir yn dlawd. Amrywiad ar y ffurf nesaf.

**cribinio byw**

**cwlwm cwlwm** Cwlwm sylfaenol wedi'i ddyblu heb ddolen arno.

**cwlwm dolan** Cwlwm ag un ddolen, y gellir ei ddatod yn rhwydd drwy dynnu'r gynffon, fel ar ochr llwyth gwair.

**cwlwm carrai esgid** Cwlwm dolen wedi'i ddyblu yn y dull cyfarwydd (ond anodd ei ddysgu i blentyn!).

**cwlwm rhedag** Cwlwm dolen gyda phen arall y llinyn neu raff yn rhedeg drwy'r ddolen.

**cwlwm wedi cyrdeddu** Cordeddu, ymblethu.

**daffod cwlwm** Daffod ddywedwn ni am ddatod.

**wedi'i chamstrapio hi** Camgymryd a methu'n arw. Mae camstrapio yn ddelwedd o'r strap yn cael ei daflu oddi ar y pwli ag yntau'n troi. (Pan fydd strap yn crwydro fel hyn dywedir ei fod **yn cerddad**.)

**mynd allan ohoni'n lân**

**mynd oddi ar y rêls** Fel olwyn yn gadael y cledrau, S. *go off the rails.*

**Mae o'n chdi a chditha' efo hi** Yn siarad yn gyfarwydd â'i gilydd.

**dal pen rheswm** Trafod yn ddwys.

**Dwi'n d'eud dim, d'eud 'dw i** Dywediad Ifas y Tryc (Stewart Jones) a gydiodd ar lafar drwy'r wlad. (W.S.J.)

**Dau ddrwg dalu sy' – talu 'mlaen a pheidio talu o gwbwl** Pan fydd rhywun yn addo talu i chi wrth ofyn am fenthyg.

**D'eud y gwir sy'n dda bob amsar,**
**D'eud y gwir sy'n digio llawar**

(**Gen y gwirion y ceir y gwir**) Hynny yw, gwirion yn yr hen ystyr o ddiniwed.

(**perl o enau llyffant**)

**digon i godi penarddynod★ ar rywun** Am ryw bryder neu niwsans. Penarddynod yw penddüynnod sef lluosog penddüyn (S. *boil*).

**digon tlawd a balch** Ateb i rywun yn holi sut yr ydych.

(**Melys cwsg potas maip**)

**dim un wan jac** Dim neu neb o gwbwl.

**dim enaid byw**

**Does dim heddwch i ga'l i bechadur** Cellwair pan fydd rhywun yn tarfu arnoch.

**Does dim isio i bawb fynd drw' 'ngharpad bag i** Gwybod fy musnes i.

**Does gen i ddim obadïa** Dim syniad. Dyma enghraifft o'r hyn y gellid ei alw'n odl godl Gymraeg, yn cyfateb i'r S. *rhyming slang* – defnyddio enw'r proffwyd Obadeia o'r Hen Destament i efelychu'r S. *idea*.

> **dim clem** Dim syniad. Ystyr arall y gair **clem** yw'r darn haearn dan flaen esgid rhag ei gwisgo (**pedol** a geir dan y sawdl).

**Diolch yn fawr, mi dalith yr Arglwydd i chi** Dyna ddywedodd rhyw gwsmer wrth yr hen gryddion o Chwilog, Tomos ac Wmffra Jones, unwaith. Ac meddai un o'r ddau: 'Wel mae gynno fo goblyn o waith talu'n barod!'
John Roberts, Drwsdeugoed, wedyn. Diwrnod dyrnu yno, a fynta'n cael help y criw i symud rhywbeth go drwm. 'Diolch hogia, mi dalith yr Arglwydd i chi,' meddai hwnnw hefyd, a dyn y dyrnwr yn ateb, 'Os bydd o gyn salad â chdi am dalu, mi fydd yn ddrwg ar diawl arnon ni!' (R.D.J.)

**Cân diolch**

> **Diolch yn dalpia'** Dywediad arall gan Twm Crydd oedd ei ateb i rywun oedd wedi diolch yn llaes iddo: 'W'ch chi be', dwi'n methu'n glir â newid yr hen bapura' diolch 'ma!'

**Diolch yn dew** Diolch ysgafn yw hwn.

**Diolch iddo** Defnyddiwn y trydydd person weithiau i ddiolch yn ysgafn. Efallai bod yma beth o ddylanwad cytgan yr emyn (pennill Morgan Rhys, *Dyma Geidwad i'r colledig* ar dôn *Caersalem*). Ond mae'n hawdd gennym droi at y trydydd person wrth gyfarch: 'Su' mae o?' neu fel y dywed mam Wali yn *C'mon Midffild*, 'A sud mae o heddiw?'

**o doriad 'i foga'l** Nodwedd sydd ynom erioed. Dywedir am rywun ifanc medrus, er enghraifft, ei fod yn grefftwr o doriad ei fogail – hynny yw, ers ei eni.

**Mae hi'n dormach arno fo** Mewn llanast neu drafferth personol. Hen enw yn golygu baich, mechnïaeth, cywiro dyled.

**g'neud yn 'i glwt** Gwneud smonach iddo'i hun.

**wedi'i g'neud hi rwan** Gall hyn olygu trafferth i rywun arall yn ogystal.

**mewn stryffig** mewn helynt, strach.

**drw'r tŷ ac allan** Gwneud rhywbeth yn ffwrdd-â-hi.

**dwad â fo at 'i goed** Help i gallio, sylweddoli.

**dyn dwad** Dieithryn wedi ymsefydlu yn yr ardal. Dyna newid byd anhygoel a welsom, a'r bobol ddwad mor niferus â'r brodorion!

**Mi dyr rhywun arall gywffon 'i gi toc** (cynffon) Mae'r dywediad yma, a'r ddau arall, yn rhoi cysur i rywun sy'n destun siarad pawb am ryw helynt.

**Mi fydd yna rywun arall wedi gwneud yn 'i glwt toc**

**Mi 'neith rhywun arall yn 'i drowsus toc**

**O, mi ddaw, gyda gofal a bwyd llwy** Dyna ddywedir am rywbeth y bo angen ei wella, neu am ryw anifail ar gynnydd. Eithriad lle'r arferwn yr arddodiad 'gyda' yn hytrach nag 'efo'.

**rhoid y farwol** Rhoi ergyd derfynol i rywbeth. 'Mi roth teledu y farwol i'r ddrama bentra.'

**yn dominô**

**wedi canu arno fo / arni** Dim gobaith.

**wedi wech** Dyna ddiwedd arni, wedi darfod. 'Mae hi wedi wech ar y criadur.' Wele'n hoffter o gyseinio, mae'n siŵr, ond o ble y tarddodd? Ai o chwech yr amser dechrau oedfa, neu hwyl am ben tafodiaith y de, neu beth?

**wedi *went*** Rhyw declyn wedi mynd, wedi darfod. S. *went*. 'Be' sy'n bod ar y car?' – 'O, yr hen injan wedi went'.

**Fel'a mae hi a fel'a bydd hi, nes gwellith hi**

**yn frech o gwmpas y lle** Yn bla o rywbeth.

**yn frith** Yn drwch.

**Mae hi'n frenin i fel y buo hi** Yn llawer gwell nag y bu.

**yn nefoedd i fel y buo hi**

**Fuo 'ddrwg erioed nad o'dd o'n dda i rywun**

**Mi fydd yna fyd i fochyn** Darogan gwae y daw trafferth efo'r peth a'r peth.

**Does gen i 'run ffadan beni** Enw arall ar ffyrling yw ffadan – yn tarddu efallai o'r S. *farthing*.

**dim ceiniog goch (y delyn)**

Fuo 'ddrwg erioed nad o'dd o'n dda i rywun

(**fel Job ar y doman**) Yn dlawd. O hanes Job yn y Beibl wedi colli'r cwbl, yn deulu ac eiddo.

**fel ll'godan eglwys** Yn dlawd iawn.

(**dal llygoden a'i bwyta**)

(**byw o'r llaw i'r genau**)

**â'r ffrwyn ar 'i war** Un wedi cael ei ryddid. Delwedd o geffyl yn cael tuthio fel y myn, neu'n cael ei ollwng yn rhydd ar ôl gwaith.

**\*ffwg jwg!** Ebwch o syndod.

**Aros di, gam-di-bwyll rwan** Ffurf ysgafn ar 'cymer di bwyll'.

**dal dy ddŵr** Bron yr un peth, h.y. aros funud.

**g'neud môr a mynydd ohono** Gorymateb.

**(g'neud melin ac eglwys ohoni)** Cynllunio llawer iawn o waith, na ellid ei gyflawni. 'O'n i am 'neud melin ac eglwys ohoni heddiw ond mi a'th y d'wrnod i r'wla.'

**tân siafings** Brwdfrydedd dros dro a gyll ei wres yn fuan. S. *shavings*.

**Mae gen i ormod ar 'y nhrensiwr** Yn rhy brysur, yn golyga'r un peth â 'gormod ar fy mhlât'. Plât pren gwastad a ddefnyddid i dorri ac arlwyo bwyd yw trensiwr. S. *trencher*, Hen Ffrangeg *trenchoir*.

**(Eda' rhy dynn a dyr)** Bydd rhywun â gorofalon yn torri dan y straen.

**wedi hambygio** Wedi gorweithio yn enwedig codi gormod o bwysau. O'r S. *humbug*, am ryw reswm.

**wedi hario** Wedi ymlâdd ar ôl rasio neu orweithio. S. *harry*.

**lladd 'i hun** Gorweithio.

**lardio** Llafurio'n rhy galed. Diau iddo ddod o'r gwaith diflas mewn cegin fawr o baratoi llestri cyn coginio rhywbeth ynddynt, trwy eu hiro efo trwch o lard. Enw a berf S. *lard*.

**lardiwr** Un ag enw o fod yn weithiwr caled, fel y nesaf.

**slafio, slafiwr**

**gobaith mul mewn** *Grand National*

**I be'r a'i i golath?** Pam mynd i drafferth i wneud rhywbeth. Gofalu ac ymgeleddu yw coledd neu goleddu.

**yn graig o bres**

**(I'r pant y rhed y dŵr)**

**Mae gwaeth wedi digwydd cyn brecwast ar y môr lawar gwaith** Hynny yw, twt, paid â phryderu.

**hitia befo**

**wa'th 'ti befo** Na hidia, paid â chymryd sylw.

**Gwell gewin o fab na mynydd o ferch** Nid y ni sy'n dweud; anghofiwn pwy!

**Pwy na faga' hogia'?** Canmol hogyn am waith da. (W.G.)

**Gwell mam dlawd na thad cyfoethog** A byddai'n bechod peidio dyfynnu, yn groes i'n harfer yn y llyfr, o'r *Ffynnon*, Rhif 272 gan E. A. Griffith, Ffatri, Rhydygwystl:

**Colli tad, colli wal;**
**Colli mam, colli to**

**Gw on, chdi sy'n ennill** Dyna ddywedodd rhywun wrth un oedd yn ymlafnio efo bonyn coeden go fawr.

**Cynia★ arni** Anogaeth i ddal ati'n ddyfal ar ryw orchwyl. Delwedd o naddu pren efo cŷn, a thrin haearn efo **cŷn calad**, neu drin carreg efo ebill.

**eli penelin** Nerth bôn braich, fel y S. *elbow grease.*

**g'neud dy hoel** Gwneud llawer o waith sy'n gadael eich ôl ar ryw dasg. Prin y clywir 'ôl' ar lafar – 'hoel teiar car ar y lôn' meddwn.

**torchi llewys**

**tyrchu iddi** Mynd ati i weithio'n galed – fel y twrch daear. Tebyg i bwrw iddi, fel y dywed eraill.

**Haearn a hoga haearn** Pobl yn cryfhau dawn a chymeriad ei gilydd, fel rheol, ond dywedir hyn hefyd am ddau sy'n ymdebygu i'w gilydd yn eu castiau.

**haearn bwrw** S. *cast iron*.

**fel haid o wydda'** Pawb yn siarad ar draws ei gilydd.

**siarad fel melin bupur** Siarad yn brysur a didaw.

**siarad fel melin wynt** Hyrddio siarad gan chwifio'r breichiau.

**haul ar y fodrwy** Diwrnod braf i'r briodas.

**how★** How-wneud rhywbeth yw ei led-wneud: 'Maen nhw'n how-garu, ychi.' Er ei fod yn swnio'n fathiad gwerinol efo naws bratiaith, tybiwn ei fod yn dod o hoyw ac felly yn Gymraeg hen iawn.
Ceid llawer o eiriau cyfansawdd erstalwm yn cynnwys yr elfen hoyw-, yn golygu nwyf a disgleirdeb, fel hoywlan, hoywliw ac ati. Ond gallai'r elfen hon gyfleu rhith ac ysgafnder hefyd, a hynny'n gwanhau neu'n coegio'r ail elfen, fel hoywdwym (claear) a hoyw-wych (fel rheol yn golygu godidog ond weithiau'n awgrymu coegwych yn ôl GPC). Byddai'n naturiol i hoyw fynd yn how ar lafar.

**yr Ingland Refeniw** Enw anfarwol Ifas y Tryc (Stewart Jones), eto, ar dreth incwm. (W.S.J.)

**jowffla★** Chwilio'n ddyfal am rywbeth. 'Am be' wyt ti'n jowffla yn y bocs?' O'r S. *shuffle* efallai.

**Mae llathan o gowntar yn well nag acar o dir** Go brin!

**Mae o'n llyffetha'r garw** Yn rhwystr i wneud rhywbeth, llyffethair.

> **nadu** Berfenw tafodieithol diddorol yn golygu rhwystro, atal. Eglura GPC ei fod yn tarddu o'r ffurf gorchmynol 'na ad' (na adael).

**Tydi 'mhen i'n arbad dim ar 'y nhraed i** Wedi i ni anghofio dod â rhywbeth o rywle.

> **cof fel gogor**

**'mochal cafod** Ymochel rhag cawod o law.

> **wardio** Cysgodi neu lechu e.e. dan goeden. O'r S. *guard*.

**Mae modfadd yn llawar mewn trwyn** Mae mesur bychan yn bwysig weithiau.

**Mwya'n y byd o wair heli di, mwya'n y byd f'ytith y mul** Hynny yw, po fwyaf sydd gennych, byddwch yn gwario neu'n defnyddio mwy.

> **Lle bo llawar o dda bydd llawar o ddifa** Cyfoethog yn gwastraffu.

**(Tryfer a genwair a gwn
Wna ŵr cyfoethog yn ŵr llwm)**
Tryfer: picell fachog i drywanu eog.

**mynd rhwng y cŵn a'r brain** Busnes yn mynd ar chwâl.

> **yr hwch wedi mynd drw'r siop**

77

**wedi nogio** Stopio gweithio am sbel dan bwys y gwaith, yn enwedig ceffyl. Mi clywch o am beiriant hefyd.

**wedi 'laru** Alaru; blino a syrffedu.

**Os oes arnat ti isio r'wbath, wel pryna fo**

**Pawb drosto'i hun a Duw dros bawb**

**Mae pawb isio byw** Rhaid i bawb gael arian i fyw.

**peth mwdradd** Peth wmbreth.

**peth coblyn**

**peth cythra'l**

**Pwy fedar gnoi cnau gweigion?** Ceisio gwneud peth ofer neu amhosib.

**syrthio o'r ffos i ben claw'** (clawdd.)

**(Anodd bwyta uwd efo myniawyd)**

**Pwy oedd dy was bach di llynadd)?** Hynny yw, gwna fo dy hun!

**wsnos gwas newydd** Am rywun newydd yn cyflawni cryn waith, gan awgrymu na phery'r fath ymdrech yn hir iawn.

**ernes** Arian bach a delir i was wrth ei gyflogi.

**hen riglwr** Disgrifiad o brynwr sy'n crafu am fargen o hyd. Daw'r ddelwedd fachog yma o'r ferf ganlynol.

**rhiglo** Rhiglo (sef rhuglo) i ni yw crafu mwd a baw oddi ar iard neu fuarth cerrig ffarm gyda rhaw a brwsh bras – tasg flynyddol a wneir yn haws ar ddiwrnod gwlyb.

Dywed GPC ei fod yn air am waith crafu a chlirio yn y chwareli hefyd. **Carthu,** wrth gwrs, yw clirio tail o'r beudy, stabal, cwt mochyn a chwt ieir.

**Mae rwbath fagi di yn well na rwbath bryni di** Golyga anifail ar ffarm, a hefyd bod cael mab neu ferch yn well na thalu i rywun diarth.

**(Mae cyw o frid yn well na phrentis)**

**Rhaid curo llawar twmpath** Rhaid dal ati cyn llwyddo i ennill rhywbeth. Delwedd efallai o fyd hela, lle cyflogir dynion i guro i rusio adar at y drylliau.

**Mae'n rhaid i ti dalu am d'ysgol yn y byd 'ma** Drwy ein camgymeriadau y dysgwn.

**Sgíl i fyw, ffŵl i weithio** Dywediad lled feirniadol o rywun sy'n fachog neu'n ffodus i gael rhywbeth heb weithio amdano. S. *skill*.

**lwc mul** Bod yn annisgwyl o ffodus.

**lwc mwnci** Yr un peth.

**siort ora'** Ateb i gwestiwn: 'Sut mae petha'?' neu ''Neith o'r tro fel'a?'

**styria dy facsia'** Brysia. Daw styria o'r S. *stir*, a bacsiau yw'r cudyn blew ar gefn sawdl ceffyl, yr egwyd.

**g'na siâp arni / siapia hi**

**hel dy draed**

**Dwi fel trafaeliwr cocos heddiw** Wedi bod ar fynd drwy'r dydd.

*Chwilog, 1959: hen giatiau rheilffordd Afon-wen i Fangor. Hogiau'r pentref ar y boncan, Hywel Gwyn (chwith) ac Alun Gwyddfor. I'r dde o'r llun mae'r orsaf a fu ar waith tan 1964, ac ar y chwith tu ôl i dafarn Madryn, y mart, Cefn Sêl.*

*1959 eto. Corlannau pren Cefn Sêl a'r cae tu ôl i resdai Madryn (a brig to Capel Seilo, yr ochr arall i'r lôn). Lle da i chwarae cowbois (gw. Chwarae Plant – Chwaraeon Bechgyn).*

*Corlannau pren ar fin y lein ger giât chwith yr orsaf yn y llun uchod – 1959 eto. Gwelir yr orsaf yn y cefndir, ger lle mae tai Maes Myrddin heddiw.*

**Mae hi fel Ffair Gaer yma** Yn sobor o brysur.

**Mae hi'n hwi-rhed yma** Yn ras wyllt arnom.

**wrthi fel lladd nadroedd**

**wrthi fel slecs** Gweithio ar ras wyllt eto. S. *slack*, glo marwor mân.

**troi cwys yn nes i'r claw'** (clawdd) Cyngor i gynilo ar adeg o gyni – wedi geni plentyn, er enghraifft.

**bod yn gyn\*** Bachigyn o 'bod yn gynnil', darbodus.

**(Llunio'r wadan fel y bo'r droed)**

**(Lleia'i ran, rhan y rhannwr)**

**(Sala'i hesgid, gwraig y crydd)**

**twll din byd** Lle ofnadwy i fyw, a dim yn digwydd yno.

**Wa'th heb â rhoid wya' dano fo** Am un crwydrol, anniddig.

**(Carreg a dreigla ni fwsogla)**

**\*codi cnich** Ysfa gref am rywbeth gwahanol, fel mynd am dro neu i chwilio am gariad, neu hyd yn oed newid dull o fyw. 'Be' sy'n codi cnich arni rwan?'

**colic yn 'i thin hi** Aflonydd, anniddig. Fel ateb i un ohonom ni blant yn swnian eisiau cael mynd yn y car i rywle: 'O duwch ty'd 'ta, os oes colic yn dy din di.'

**Wa'th iti'r geiniog gynili di 'mwy na'r geiniog enilli di, ceiniog ydi'r ddwy**

**Fesul ceiniog a cheiniog yr â'r swllt yn bunt**

**O geiniog i geiniog yr â'r arian yn bunt.** Pryd, tybed, y byddwn ni'n dweud 'O sentan i sentan yr â'r arian yn ewro'?

**un glew** Un dygn at ei fyw, yn un garw am wneud pres.

**y werin datws** Enw hoffus arnynt eu hunain gan bobol.

**y wêr\*** / **yr hen wêr** Anwylair arall am y werin honedig.

**yndi\*** Ydi (ydyw) ddywedir mewn brawddeg neu wrth ofyn cwestiwn, ond wrth ateb cwestiwn yn gadarnhaol, clywir 'n' bob amser: 'Ydi hi'n bwrw glaw?' – 'Yndi'. Yn y negyddol, 'nag'di' (nac ydyw). Dylanwad **yn tydi** (onid ydi) sydd yma efallai, ond ceir enghreifftiau eraill o'r 'n' ymwthiol yma, fel **hwnda\*** (hwda).

Mae'r ysgol wedi torri

**\*a ballu**   Ac ati, ac yn y blaen; cywasgiad o rywbeth fel 'ac y bo felly'.

**'ddyliwn** Ie, feddyliwn i, yn debyg i g'lei (goeliaf fi) yn y De.

**Mae'r ysgol wedi torri** Nid cau ond torri am wyliau y bydd ysgolion.

# Pryd a Gwedd a Ballu

Nid oes sentiment o gwbl yn ein disgrifiadau o'n gilydd. Os ydych yn dew, yn denau, yn fach, yn fawr, yn unrhyw beth ond Catherine Zeta Jones neu Ioan Gruffydd, gwae chi! Gallwn ni'r Cymry swnio'n greulon ac yn gas iawn am bethau bach weithiau. Ond yn y bôn nid gwawd na sen yw'r duedd yma eithr balchder mewn mynegiant lliwgar. Mae disgrifio pobl yn rhoi cyfle inni ddefnyddio cymariaethau gwreiddiol. Yn wir, ceir elfen o gystadlu bron, a chlywir ambell un yn mynd dros ben llestri ac fel pe'n ymffrostio yn ei ddefnydd o briod-ddulliau trawiadol.

Mae yna berygl yn fan hyn i bobl sy'n taro pethau i lawr ar bwt o bapur. Byddai hen gyfaill o Gricieth, Deryk Williams, yn hoff o dwyllo rhai felly weithiau yn nhafarn y New Ely yng Nghaerdydd – cyrchfan y Cymry ifainc yn y chwedegau, yn cynnwys un neu ddau o staff brwd Sain Ffagan. Hwyrach nad yw pob un o'r idiomau a geir yn eu casgliadau yno yn dryst hollol!

**blewyn / cyw** (1) Cellwair wrth rywun ifanc neu wrth un go fychan o gorffolaeth: 'Su'ma'i, blewyn!' neu 'Ty'd yma, cyw'. (2) Cerydd ysgafn felly: 'Gwranda, blewyn!' neu 'Yli, cyw!'

**bol uwd** Llysenw ar rywun boldew.

> **bol wadin** Enw tebyg ar un o'n hathrawon druan. S. *wadding*.

> **casgan lard** Glasenw cyffelyb gan blant.

**Am be' wyt ti'n bregliach, dywad?** Yn parablu'n annealladwy.

**brygowtha\*** Baldorddi, clebran. 'Am be' wyt ti'n brygowtha?' Gyda'r 'b' y clywsom ni'r ferf erioed; ymddengys mai prygowtha neu prygowthan a ddywed eraill.

**yn pregethu**

**bwrw'i din dros 'i ben** Dyna'r dywediad am daflu eich hunan drosodd (S. *somersault*).

**drybowndian** Adlamu. S. *bound, rebound*. Gyda'r hen elfen try- yn cynyddu'r weithred, dyma enghraifft lled ddiweddar o air benthyg yn ymgymreigio'n naturiol, er mai **bownsio** (S. *bounce*) a gariodd y dydd yn y diwedd.

**ystwyth fel walbon** S. *whale-bone*.

**cadi-ffan** Neu **dipyn o gadi** am ddyn merchetaidd.

**hen iâr**

**siani**

**y caetsh bara** Stumog.

**y lampa'** Llygaid.

**y llorpia'** Coesau.

**pegla'** Coesau.

**\*ca'l ael arno fo** Cael cip arno. 'Mi es i i'r cwarfod i ga'l ael ar y dyn.'

**mae o wedi ca'l cyt 'dat y pren** Sylw awgrymog am doriad clos iawn ar wallt hogyn go bengaled.

**cyt bowlan** Gwallt wedi'i dorri'n grwn o gwmpas y pen fel mynach. Daw o arferiad ambell deulu, meddan nhw, o roi powlen dros y pen a thorri rownd ei hymyl. S. *cut, bowl.*

**Mae o fel brwsh closet** Un ohonom (gewch chi ddyfalu p'run) wedi cael torri gwallt yn ôl ffasiwn Americanaidd diwedd y pumdegau, y *crew-cut*, ond braidd yn siomedig oedd yr ymateb! Y *closet* oedd y tŷ bach yn y cefn oedd gan bawb ar un adeg cyn cael dŵr canolog yn y tŷ. (W.G.)

**torri at groen y baw** Torri gwallt yn gwta iawn eto. Dywedir hyn hefyd am **dorri gwellt glas** yr ardd. (Glaswellt = gwelltglas, yn ddau air ar wahân ar lafar.)

**ca'l llyfiad** Cael codwm sydyn ymlaen ar eich hyd, yn enwedig wrth redeg. 'Mi ges i goblyn o lyfiad.' Talfyriad o briod-ddull tebyg i'r ddau nesaf.

**llyfu'r llawr**

**llyfu'r llwch**

**mesur 'i hyd ar lawr**

**syrthio fel brechdan**

**syrthio'n glewt** Yn glwt, o'r S. *clout.*

**syrthio'n glwt**

**Rwyt ti'n camu nes bod dy gŵd di ar lawr** Disgrifiad gwreiddiol o gamu'n fras iawn i fesur pellter stanciau wrth ffensio. (Emlyn P.)

**ar 'i gwrcwd** Nid yw GPC yn siŵr o darddiad y gair cwrcwd. Er y gall merch **gyrcydu** yn ogystal, mae'n anodd peidio gweld 'ar ei gwrcwd' yn debyg i'r ddelwedd o ddyn â'i gwd ar gwr y llawr.

**cefn fel parad** Am ddyn llydan, fel y nesaf.

86

**sgwarog**

**stwcyn o ddyn** Dyn byr llydan. S. *stook.*

**tebol** Dynes neu ddyn abl, iach, cryf. Croes i hynny yw **tendar** (tyner).

**y babi yn c'newian** Cyrnewian, gwneud rhyw sŵn cwyno, swnian yn anhapus. Yr un gair â cenawon ydyw yn y bôn.

**beichio crïo** Hollol groes, wrth gwrs – crïo dros y tŷ.

**coch fel crib ceiliog** Am wyneb rhywun wedi cochi.

**cochi 'dat 'i glustia'**

**cochyn India / cochyn Tseina** Llysenwau plant ar un â gwallt coch. Olion hen ddaearyddiaeth a gwleidyddiaeth ymerodrol Prydain a Ffrainc oedd y rhain. Yn ne-orllewin yr India ceir porthladd Cochin, ar arfordir Malabar, a hefyd ardal o'r un enw oedd yn dalaith nes iddi ddod yn rhan o Kerala yn 1956. Ond mae talaith Cochin China yn Ne Fietnam!

**coes glec** Neu **coes bren**, am goes wneud.

**coesa' robin goch** Coesau main.

**coesa' bachog** Coesau cam.

**heglog** Disgrifiad o un â choesau hir.

**cymanfa o ddynas** Dynes go fawr!

**cloban o ddynas** Dynes gref. S. *club.*

**clompan o ddynas** Fel **clamp o ddyn**.

**cowlad o ddynas** Dynes â gafael ynddi, coflaid (llond côl) go dda.

**cyrninyn★** Person neu anifail main hir neu denau.

**fel cyrnonyn** Un gwinglyd fel cynrhonyn.

**Chwaer i mam ydi modryb** Rhywun o'r un anian.

**(llathan o'r un brethyn)** Un sy'n perthyn neu o'r un anian.

**(Lle crafa'r iâr y piga'r cyw)**

**(Natur yr hwch yn y perchyll)** Wrth sôn am ryw fai neu wendid teuluol.

**(Nes penelin na garddwrn)**

**(Tewach gwaed na dŵr)**

**(Cyw a fegir yn uffern, yn uffern y myn fod)** O'r arferiad o roi cyw iâr gwan wrth y tân i'w adfer. Uffern, mae'n debyg, oedd yr hen enw ar y lle tân ar lawr simdde heb grât.

**wedi'i cha'l hi ar ôl gwraig Adda** Am ryw gôt neu ddilledyn arall sobor o hen. (A.G.)

**Mae'n dechra' mynd ar 'i sodla'** Cerddediad un sy'n heneiddio, druan.

**cerddad yn sodlog**

**cerddad dow-dow** Wrth ei bwysau.

**haldian cerddad** Cerdded yn flêr â'r breichiau yn chwifio. S. *halt.*

88

**linc-di-lonc** Cerdded yn hamddenol.

**traed chwadan / cerddad fel chwadan** Â'i draed tuag allan, fel hwyaden.

**traed chwartar i dri** Yr un fath.

**un digon diddrwg-didda** Am un diniwed ond o fawr les i neb.

**din-glêr** Un amharchus a thlawd, bron ar gardod. Y glêr oedd y beirdd a chantorion gwerinol a grwydrai i glera neu gardota at eu byw, felly mae hwn yn ddywediad go hen.

**pedlar** Yr un fath, yn ogystal â dyn crwydrol yn byw ar werthu manion.
**yn drybola' o faw** Rhywun neu rywbeth sy'n fudur iawn.

**y caglyn** Wrth hogyn bach wedi maeddu. Caglod yw darnau o faw caled ar goes neu gynffon anifail.

**Dyn blewog, blin;**
**Dynas flewog, hawdd 'i thrin**
(Hollol groes yw'r ddau yn y llyfr diarhebion!)

(**Llaw oer a chalon gynnes**)

**Dyro hi ar 'i chêl / ar 'i gêl** Dywedir hyn pan fydd eisiau gosod rhywbeth ar ei ymyl. Er y gall cêl olygu celu, cuddio, yr enw yn y dywediad yma yw cêl cwch, S. *keel.*

**Mae dwy law chwith gen ti** Un trwsgl neu anfedrus.

**Rwyt ti'n gamarlêd ar gefn rheswm** Yn llygad dy le. (J.Js)

**yn gamarlêd** Ar gamfa led, yn sefyll â'r coesau ar led yn llydan.

**gaflio** Sefyll ar gamfa led dros rywbeth â'r coesau bob ochr iddo.

**\*yn glanna' chwerthin** Chwerthin ei hochor hi. Tybiwn ei fod yn ffurf o'r berfenw anarferol 'glannu' am dir sy'n ymchwyddo'n fryniog. Os nad y dehongliad symlaf yw'r cywiraf – 'yn llawn chwerthin at y glannau'.

**yn glustia' i gyd** Ceir yr un priod-ddull yn S.

**(taro'r post i'r pared glywed)** Sôn am un peth er mwyn i rywbeth arall gael ei ddeall, neu ei ddweud er mwyn i'r neges gyrraedd adref at rywun arall.

**g'lychu 'dat 'i chroen** Ar ôl bod yn y glaw.

**yn 'lyb dyferu** Yn wlyb diferol.
**yn 'lyb soc** Y dillad yn wlyb socian, S. *soak*.

**newid pob cerryn\*** A **pob cerpyn**, sef newid dillad wedi gwlychu.

**g'neud llygad bach arno fo** Wincian.

**gwenu fel giât**

**heb glywad ogla' ar 'i ddŵr eto** Am rywun sydd dan oed, neu'n analluog.

**'i geillia' fo heb ddisgyn eto** Am hogyn dan oed.

**fel tin babi** Gwyneb llanc heb ddechrau eillio.

**â'i gynffon yn 'i afl** Yn cilio'n siomedig fel ci.

**gwep dursiog** Golwg laes neu flin.

**'i wep o'n disgyn** Mewn siom neu syndod.

**Wel hogia-genod, plant Sir Fôn** Cyfarchiad cymydog i ni wrth griw cymysg, yn enwedig o blant. Cyfeiriad at arfer y Monwyson o ddweud hogia-merchaid (neu hogia-genod) i olygu genethod. (R.Ll.)

**crymffast** Llanc tua chanol ei arddegau.

**cwb, cwbyn** Bachgen bach. S. *cub.*

**y cybia'** Plant y teulu, yn fechgyn a genethod.

**cywan,** ll. **c'wennod** Geneth yn ei harddegau cynnar.

**hogia-lancia'** Twr o fechgyn cymysg eu hoedran.

**llafn, llefnyn / llafnas,** ll. **llafna'** Yr arddegau hŷn.

**llefran,** ll. **llefrod** Merch tua chanol ei harddegau. Llefran = cwningen ifanc.

**Mae hwnna'n fab 'i dad** Tebyg i'w dad, yn llythrennol felly ac hefyd yn debyg iddo mewn camp neu remp.

**(Fedri di ddim tynnu dyn oddi ar 'i dylwyth)**

**yn ista ar 'i golyn** Ar ei ben-ôl ar lawr, â'i bengliniau i fyny.

**hen jero** Dyn od neu un sy'n wahanol i bawb, yn enwedig os na wyddys llawer amdano neu am ei fwriadau.

**hen begor** Hen ŵr od, neu dlodaidd weithiau.

**criadur / cryduras,** ll. **cryduria'd** (1) Yr ystyr drugarog: 'yr hen griadur druan'. (2) Enw beirniadol ond lled edmygol ar un o natur feiddgar neu annibynnol – 'Wel, mi wyt ti'n gryduras ar y naw'.

**un cysetlyd** Am un â'i ffordd od ei hun.

**hen gono** Hen gymeriad od, ac weithiau yn ddiniwed o gyfrwys. O'r S. *canny* efallai.

**hen grymanas** Dynes go flêr a diolwg, ond nid amharchus chwaith. Delwedd o'r erfyn, y cryman cam.

**gwirion hen** Ail blentyndod.

**yr hen labwst mawr** Mawr ac afrosgo. Yn ôl GPC dichon y gall ddod o'r un gwreiddyn â'r S. am gimwch, *lobster*.

**llarbad** Dyn diurddas, diolwg, yn enwedig un mawr – 'Yr hen larbad mawr iti'. Mae'n bosib o'r S. *lubbard*, ffurf ar *lubber*, dyn trwsgl.

**fel llinyn trôns** Am rywun yn teimlo'n wantan ar ôl bod yn sâl, neu rywun tenau gwan.
Gyda llaw, trôns, ll. **tronsia'** = S. *drawers*, ond **trôn**, ll. **tronsus** = drôr cwpwrdd, S. *drawer*.

**fel brechdan** Am rywun meddal llipa, neu'n wantan eto ar ôl salwch.

**edlych o beth** Dyn gwanllyd, gwelw.

**llipryn** Un gwan ac eiddil.

**â llond 'i haffla'** Llwyth lond ei freichiau. Ceir y ffurf afflau yn GPC.

**yn llwyd fel lludw** Am wyneb wedi gwelwi.

**yn edrach fel drychiolaeth**

**wedi dychryn drwy'i din**

**maen geni** Man geni (S. *birthmark*).

**y maen sbring** Yr un cyfrifol neu ddibynadwy tu ôl i gynllun. S. *mainspring*.

**dyn / dynas ar y naw** Un eithriadol.

**hen bero** Un hirben a chyfrwys fel hen gi (gw. Pero yn adran Byd Natur).

**hen bry'** Neu **tipyn o bry'**, cymeriad dyfeisgar neu anturus. Pryf yn yr hen ystyr o anifail chwim a gaiff ei hela yw'r ddelwedd yma.

**clandro** Mesur tasg neu broblem yn feddylgar.

**un dyfn** Galluog a meddylgar.

**un ffel** Call a synhwyrol.
**un garw** Rhywun nodedig.

**yn giamstar arni** Yn feistr ar ei waith. S. *gamester*.

**dan glust 'i gap** Rhyw syniad ganddo. 'Mae gynno fo rwbath dan glust 'i gap, yn saff i ti' – h.y. mae o'n saff o fod yn cynllunio rhywbeth neu'i gilydd.

**â'i lygad yn 'i ben** Un sylwgar, craff.

**merch abal** Yn gyfrifol a medrus ei gwaith.

**'sg'l'aig** Neu **'sgolar,** un peniog fel ysgolhaig.

**dyn trwm** Galluog a gwybodus.

**nabod 'i war o** Huw yn sefyll mewn tyrfa unwaith a digwydd troi, a phwy oedd y tu ôl iddo ond Wil Sam. 'O'n i'n ama' 'mod i'n 'nabod dy war di!' meddai Wil. (H.E.J.)

*Not so green as* **cabaits cochion** Canmol eich hun nad ydych mor wirion â hynny.

**yn od o gymeradwy** Neilltuol o boblogaidd. Cynghanedd draws hefyd!

**hen foi nobl** O gymeriad da, â llawer o barch iddo.

**palat o ddyn** Paladr o ddyn tal, cryf.

**pladras o ddynas** Paladres, yn yr un modd.

**arth o ddyn / arthas o ddynas** Mawr a chryf.

**fel bustach** Llabwst cryf, ond ymlafnio'n drafferthus yw **bystachu.**

**horwth o ddyn** Un anferth.

**Pan weli di foi o' Dre efo siwt – os ydio'n gwisgo tei ddu, mae o'n mynd i g'nebrwng; os ydio ddim, mae o'n mynd i cwrt, ia** Hiwmor cyfoes y Cofi. (M.T., ar ôl Terence Riley)

**Mae o fel parad** (pared) Am rywun byddar hollol

   **yn fyddar bost**

**pen-ôl fel talcan tas** Andros o ben-ôl!

   **pen-ôl fel *Dutchman*** Tin go hael eto. Ceir amryw o enwau Saesneg ar bethau yn cynnwys yr enw ansoddeiriol *dutch*, yn cynnwys popty, 'sgubor, a llong. Â chymryd yn ganiataol nad yw merched y fro yn nabod penolau Isalmaenwyr, hwyrach mai'r olaf o'r tri yw'r tarddiad mwyaf tebygol yn ardal y glannau fel hyn.

   **pen-ôl fel hocsiad** Gw. tew fel hocsiad, isod.

   **pen-ôl fel tas wair**

   **tindrwm** Tipyn o ben-ôl ganddo. Mae'n ansoddair hefyd am unrhyw beth â'i bwysau yn isel i lawr.

**tinfain** Croes i hynny. 'Sleifio i mewn yn dinfain.'

**pen punt a chynffon dima'** Un yn gwisgo dilledyn crand â dillad neu esgidiau blêr oddi tano.

**dillad racs** Dillad carpiog. S. *rags*.

**prifio fel cyw gwydd** Am blentyn yn prifio'n fuan.

**wedi rhynnu'n gorff** Wedi oeri drwodd.

**wedi corffio**

**wedi cyffio** Wrth oeri neu fod mewn safle anghysurus yn rhy hir.
**wedi fferru**

**y grepach** Dwylo wedi fferru'n ddideimlad gan oerfel ar dywydd caled. Mae'n llai poenus i olchi dwylo rhewllyd mewn dŵr oer na dŵr poeth.

**llosg eira** Bysedd neu fodiau wedi chwyddo'n boenus gan oerfel. Rhaid eu cynhesu'n araf, nid o flaen tân.

**Paid â sbïo fel bwch** Yn surbwch, â golwg guchiog flin.

**sbïo fel cudyll** Golwg flin eto (nid craff fel y S. *watching like a hawk*).

**sbïo fel tyrcan** Dynes yn rhythu'n flin neu feirniadol, â'i phen yn ymwthgar efallai.

(**Mi geith y gath sbïo ar y brenin**) Ateb i'r cwestiwn 'Pam 'ti'n sbïo arna' i?'

**y 'sglyfa'th** Nid yw dweud 'Ych a fi, y 'sglyfa'th' mor ddifrifol â galw rhywun yn **hen 'sglyfa'th**. Cerydd am ddigwydd gwneud rhywbeth budur neu anghynnes yw'r naill, ond dyn ag ymarweddiad ffiaidd yw'r llall.

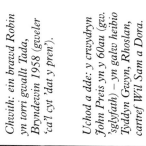

*Chwith: ein brawd Robin yn torri gwallt Tada, Bryndewin 1958 (gweler 'ca'l cyt 'dat y pren').*

*Uchod a dde: y crwydryn John Preis yn y 60au (gw. 'sglyfath) – yn galw heibio Tyddyn Grwyn, Rhoslan, cartref Wil Sam a Dora.*

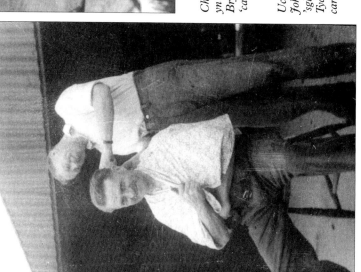

**yn un 'sglyfa'th** Rhywbeth sy'n faw, yn ysglyfaeth i gyd. Byddai John Preis, y tramp (a siaradai'n wahanol i bawb) yn tueddu i ddweud y gair yma'n aml – am bopeth, yn cynnwys pethau neis. 'Oes gynnoch chi 'sglyfa'th o hen frechdan?' meddai yn y drws bob tro. Ac wedi iddo gael un gan Mam ryw dro, dyma fo'n ei thaflu ar lawr o'i blaen! Ond roedd pawb yn falch o weld John, rywsut, yn ôl o'i grwydradau. Byddai'n gyffro mawr ei weld yn ddirybudd yn nhin clawdd ar lôn wledig neu ar gyrion rhyw ddinas bellennig – 'John Preis!'

Unwaith yn nechrau'r chwedegau aeth yr hen John i ryw lewyg ar y ffordd, ac aed â fo am ymgeledd i'r Crown, garej Wil Sam a Dora yn Llanystumdwy. Bu Wil yn sgut i nôl recordydd tâp, ac ar hwnnw llwyddodd i gael sgwrs gofiadwy efo'r crwydryn enwog – ond stori arall ydi honno, a Wil piau hi. Eithr byrdwn y sgwrs oedd y map tun RAC o Wledydd Prydain oedd ar wal y gweithdy. O holi John am grwydradau ar y map, fel petai, dyma rai o'i ddywediadau unigryw (diolch i W.S.J./O.P.J.):

**y tocyn baw** Plisman.

**gora' po bella', a phellach wedyn** Am yr heddlu.

**yr hen bedair olwyn fawr** Lorïau mawr.

**yr hen dwll yna** Twnnel Merswy.

**yr hen ffos yna** Y Sianel.

**yr hen le fflat yna** Lloegr!

**yn sgut o gwmpas 'i betha'** Yn graff a sydyn. O'r ansoddair esgud, mae'n debyg, er nad yw GPC yn saff o hynny.

**un cwit** Chwim ar ei thraed, a hefyd o gwmpas ei phethau. S. *quit.*

97

**un handi** Chwimwth eto.

**y siop i gyd yn y ffenast** Tipyn o sioe ond heb fawr y tu ôl iddi.

**smocio fel stemar** Am ysmygwr yn cynhyrchu llawer o fwg.

**mae o fel 'styllan arch** Am ddyn tenau iawn.

Pam bod pobl denau yn dioddef mwy o sen na neb? Stori o Gôr y Brythoniaid am un o'r cyn-aelodau, Wil Dafis, Llanegryn, pan oedd yn saer maen efo'r Cyngor Sir. 'Lle mae hwn a hwn?' holodd un o hogiau'r Cyngor am gydweithiwr go denau. 'Dwn 'im duwch" meddai Wil, 'os nag ydi o'n fan'na tu ôl i'r trosol!' (H.E.J.)

**tena' fel beic**

**tena' fel brân**

**tena' fel cribin**

**tena' fel lantar'**

**tena' fel rasal**

**tena fel 'styllan**

**'swigan lard** Llysenw ar rywun moel.

**yn syth fel y gawnan** Am hen ŵr yn dal ei oed yn dda. Corsen yw cawnen.

**mae hi fel 'bolas** Am ferch ifanc heini, fel eboles.

**fel lartsan** Merch dal, osgeiddig. S. *larch*.

**tas o ddynas** Dynes fawr dew.

**tew fel casgan**

**tew fel hocsiad** Casgen fawr ag ochr syth. S. *hogshead.*

**tew fel mochyn y felin**

**O'n i'n teimlo fel chwech** Teimlo'n wirion wedi gwneud rhyw gamgymeriad.

**Mi wyt ti fel tôn gron** Yn ailadrodd yr un peth o hyd.

**Paid â hefru am hyn'na eto** Siarad o hyd am yr un peth.

**Mae o'n torri** *cut* **heddiw** Yn ei ddillad gorau. Mae'r ailadrodd dwyieithog yn enghraifft dda o fenthyg gair estron diangen am ei fod yn swnio'n ffasiynol.

**rwyt ti'n tsiap** Dyn trwsiadus, o'r S. *chap.* 'Ew, mi wyt ti'n tsiap ychan, lle wyt ti'n mynd?'

**tri-throed-drybadd** Disgrifiad o ryw foi anffodus oedd yn digwydd bod ar ei gwrcwd yn 'troi clôs' tu ôl clawdd. Y dywediad oedd: 'Â'r criadur yn fan'no yn dri-throed-drybadd...'. Hynny yw, ag un llaw ar lawr – felly ffurf y dyn fel trybedd, y stôl haearn drithroed i ddal pethau poeth o flaen tân gynt. (Mae trybedd yn hen enw cyfystyr â'r S. *tripod.*) (T.R.)

**fel twrch daear** Yn fyr ei olwg.

**yn ddall bost**

**Dwi'n tyfu fel cynffon dafad** Tyfu tuag i lawr, sef mynd yn llai wrth fynd yn hyn! Cellwair amdanoch eich hun fel arfer.

**Yr un peth ydi ci â'i gynffon** Sylw ysmala gŵr neu wraig am y cymar.

**y brîd** Y perthnasau.

**y cabaits** Y teulu estynedig. 'Est ti ddim heibio cabaits ni, a chditha' yn y cyffinia'?' Delwedd go wreiddiol o'r haen ar haen mewn bresych.

# Cerydd a Dadl

Mae rhai o'r dywediadau yma yr un mor gignoeth â'r adran flaenorol, Pryd a Gwedd a Ballu. Does dim a ddengys yn gliriach beth yw iaith gyntaf pobl na'r sen a daflant at ei gilydd! O'i roi fel arall, triwch chi alw rhywun yn bob enw a hynny yn Saesneg. Gallech dybio felly mai dylanwad estron sydd ar yr hogiau prin eu geirfa a glywch chi bob nos Sadwrn yn y dre (ff... hyn a'r llall). Ond mae iaith y Saeson eu hunain yr un mor amddifad, felly mae'n siŵr bod rhesymau cyffredinol am ein tlodi ieithyddol. Un ohonynt efallai yw colli nodweddion hen iaith deuluol neu iaith ardal wrth gymysgu'n ehangach ac ymdebygu i'n gilydd.

Bron nad ydi rhywun yn falch o glywed ffrae Gymraeg go iawn weithiau! Fel yr hen gyfaill Neil ap Siencyn, Talgarreg pan oedd o'n Neil Jenkins o Gaerdydd, ac wedi cael ei blesio'n arw wrth ymweld â Chaernarfon am y tro cyntaf. Gymaint felly, meddai ef, nes cafodd ei demtio yn y Black Boy neu rywle i annog rhyw Gofi i'w 'fwrw', er mwyn y fraint fawr o gael ei daro gan *thug* Cymraeg!

(**Agosa' i'r eglwys, pella' o baradwys**)

**Annibynwyr penna' cam,**
**Boddi'u hunain mewn pot jam**

**Batus y dŵr yn meddwl yn siŵr**
**Nad eith neb i'r nefoedd ond trwy'r dŵr / ... ond Batus**
**y dŵr**

**Methodistiaid creulon cas,**
**Mynd i'r capal heb ddim gras; / ... mewn ffedog fras;**
**Gosod seti i bobol fawr,**

**Gada'l tlodion ar y llawr**

Sentars, sentars ar ben pentan,
Gyrru pobol lawr i uffarn

**mor anwadal â thin babi / â thwll din babi** Dyma rai eraill anwadal:

**chwim-chwam** S. *whim*.

**chwit-chwat**

**yn troi fel baw mewn pot**

**yn troi fel ceiliog gwynt**

**yn troi fel pêl mewn dŵr**

**bacstandio★** Tra awdurdodi pobl yn hyglyw, o'r S. *stand back*, debyg. Swnio fel yr heddlu!

**gordro** Gorchymyn. Ond **ordro** (heb y 'g') ddywedir i olygu archebu nwydd mewn siop. S. *order*.

**(Mae mistar ar Mistar Mostyn)**

**Mae hi'n benchwiban erioed** Â'i phen yn y gwynt, wedi cael gormod o'i ffordd ei hun.

**dicra** Diofal, heb ddiddordeb.

**difeind** Anystyriol, yn malio dim.

**Mae isio berwi dy ben di** Cerydd am fod yn anghofus.

**Peidiwch â bledu cerrig, blant** Pledu, gyda'r treiglad meddal fel rheol. Nid taflu fel y cyfryw ond taflu'n barhaus at rywbeth i'w daro, fel pledu coconyts yn y ffair.

**Brechdan fêl am achwyn** Gwawd am ben rhywun wedi achwyn.

**babi mam** Am blentyn wedi achwyn wrth ei fam, ac am rywun hŷn a ddeil yn rhy ddibynnol ar ei fam.

**byth yn t'wllu capal**

**Mi wyt ti'n rêl pagan**

**fel cacwn mewn bys coch** Am un yn swnian yn dragywydd.

**swnyn gacwn** Talfyriad cyfleus.

**fel lli' gron** Un â'i lais yn undonog neu'n swnian yn ddiderfyn.

**yn swnian rownd y rîl** Swnian didaw eto, o'r S. *reel*. Ai'r ddawns werin o'r un enw ydi'r tarddiad tebygol, neu efallai sŵn nyddu?

**hen swnyn / swnan** Un sy'n swnian yn dragywydd.

**Mae'r calla'n colli weithia'** Wedi gwneud rhywbeth ffôl. Yn naturiol, ceir enwau digon rhyfedd ar bobol a phlant gwirion a hurt, ac amryw ohonynt yn tarddu o bethau â thuedd i neidio'n wirion.

**\*bili ffŵl** Un gwirion fel bwch gafr, S. *billy-goat*. Dichon bod dylanwad y 'bali' isod yma hefyd.

**y coffi-pot!** Dyna fyddai hen was o Lŷn (Coch y Moel, gynt) yn ei ddweud i'n ceryddu ni blant pan ddôi ar ei sgawt i weini. Efelychiad efallai o nani-got (gw. isod eto). Mae pethau fel hyn yn addas at y diben am fod yr enw'n swnio'n od, yn enwedig yn y Saesneg diarth. (J.Jns)

**y cyw máliffwt!** Ond hwn oedd y cyhuddiad rhyfeddaf. Yn annisgwyl braidd fe'i gwelir yn GPC, ond heb eglurhad arno. Ceir S. *malefactor* yn enw ar droseddwr, eithr y mwyaf tebygol yw'r aderyn o Awstralia, S. *mallee fowl*. Os felly, dyna i chi enw a grwydrodd ymhell, a hynny ar long hwyliau. (J.Jns)

**y g'loman**

**yr het**

**hulpan / holpan** Merch yn ymddwyn yn wirion.

**jolpan** Merch sy'n gymeriad hurt, ffôl. Mae GPC yn awgrymu'r S. *dollop*, un trwsgl, blêr fel tarddiad jolpyn a jolpan; efallai y dylid ystyried enw'r cerbyd ysgafn S. *jalopy* yn ogystal.

**lari** Enw ar ddyn gwirion ffôl a gair a glywir yn nifer o ieithoedd Ewrob, o darddiad cymhleth (gw. ysgrif Prys Morgan, 'Gruffudd Lorens' yn *Bwletin y Bwrdd Astudiaethau Celtaidd*, Cyf. 21 Rhan 4, Mai 1966, t. 305–7).

**lembo, llembo** O'r S. *lumber* meddai *GPC*. Onibai am y gair hwnnw, carem awgrymu eu bod yn tarddu o lluman neu'r hen ferf llemain yn golygu llamu, ynghyd â'r elfen -bo yn yr un modd â stimbo isod. Wrth gwrs, gallai hen eiriau cyfarwydd – fel lluman – ei gwneud yn haws i gymhathu geiriau Saesneg newydd sy'n swnio'n debyg.

**llymbar** Mae hwn yn cadarnhau mai *lumber* yw eu tarddiad.

**lemon\*** Defnyddiwn enw'r ffrwyth am ei fod yn swnio'n debyg i'r lleill.

**lob / llob** Daw lob o Saesneg hynafol eto meddai GPC.

**bali\* lob** S. *bally* sef *bloody*.

**lob-lari-lembo** Byddai 'Nhad yn clymu'r cyfan yn un fel yna weithiau!

**lleban** Un gwirion, neu weithiau di-lun a diolwg.

**llo cors** Rhywun gwirion, fel llo yn wyllt wedi'i fagu allan.

**lluman** Un gwirion, o enw baner yn chwifio.

**llyffant**

**nani-got** Gafr fanw. S. *nanny-goat*.

**'nerco'** Hanner cof, sef hurtyn.

**'nionyn**

**y twmffat gwirion** Cyfeiriad at y teclyn tywallt a elwir yn twndis(h) yn y de (S. *funnel*). Mae twmffat yn mynd yn ôl i'r Oesoedd Canol yn Gymraeg ac yn tarddu o ryw eiriau S. Canol fel *tun* a *vat* yn nhyb GPC.

**(Pan gyll y call, fe gyll ymhell)**

**Cer o'ma i 'neud y lle'n flêr** Cerydd ysgafn i yrru rhywun anhylaw o'r ffordd.

**ar draws ac ar hyd** Ar hyd y lle, ar draws pawb.

**blerio★** Gwneud rhywbeth neu rywle'n flêr.

**clertian hyd y lle** Lled-orwedd yn flêr.

**Sym!** Gorchymyn i symud o'r ffordd, yn fwy pendant a chwyrn na 'Symud!' Yngenir ag *y* glir, yn odli efo pum (nid *y* dywyll fel yn symud).

**ca'l copsan★** Bychanig o 'cael cop' sef cael eich dal yn gwneud rhywbeth na ddylech.

**ca'l y myll** Neu **myllio**, am bobl yn gwylltio'n ddryslyd. Delwedd o fyd anifeiliaid, am wartheg yn myllio sef drysu'n wyllt ac yn beryglus.

**ca'l y gwyllt** Pobl yn gwylltio eto.

**gwylltio'n gacwn**

Mae Cynarfon yn fawr,
Mae Llunda'n yn fwy –
Mae ceg (hwn-a-hwn) yn fwy na'r ddwy
Am rywun straellyd.

**hen brep** Neu **hen geg**. Ceir dau ddefnydd o'r rhain: (1) Rhywun sy'n adrodd straeon a chyfrinachau. (2) Un cegog, yn ateb yn ôl yn hy': 'Paid ti â **prepian** arna' i!'

**bys ym mhob brywas / ym mrywas pawb** Un busneslyd.

**cabalaitsio★** Sgwrs am fusnes rhywun arall. Mae'n debyg y daw'r elfen gyntaf o'r gair cabl am enllib neu ddifenwi.

**yn cabal-ganu★ hyd y lle 'ma** Rhywun yn lledaenu cabledd amdanoch.

**fel casag eira** Am stori sy'n cynyddu wrth dreiglo, fel caseg eira.

**colstran** Hel straeon.

**hel clecs / cario clecs**

**hel cnecs** Yr un peth.

**lib-lab** Enw ar un straegar, ac ar un rhy siaradus, â'i dafod yn rhydd. Gall hefyd olygu unrhyw beth sy'n rhydd ac anwastad neu ddim yn ei le yn iawn.

**sbeuna o gwmpas** Busnesu. S. *spying*.

**mynd i sbeuna** Am dro i fusnesu, i weld beth sy'n digwydd.

**'Cheidw'r diafol 'mo'i was yn hir** Daw celwydd neu dwyll i'r golwg yn y diwedd.

**Chwain Chwilog** Medden nhw amdanom ni. Byddem ninnau'n galw enwau ar rai y tu hwnt i Afon Erch:

**Brain Llannor**

**Lladron Pistyll**

**Lloua' Llŷn**

**Pwllheli, pwll halan,**
**Lle 'gosa i bwll uffarn**

Gwelsom un o'r rheina hefyd mewn hen doriad o'r *Brython*. Er na ddyfynnwn o gylchgrawn fel rheol, cystal i ni gynnwys y rhestr er diddordeb i sawl ardal (gan ei hailosod yn ôl trefn y wyddor a chynnwys enwau'r hen siroedd). O.N. Gofynna'r awdur (Hugh Evans?) am wybodaeth, felly dichon iddo gyhoeddi rhagor. (Ymddengys mai o'r golofn glecs achlysurol, O Big y Golomen, y daw'r toriad – a chroeso i chi chwilio'r cyfrolau trwchus o'r papur wythnosol hirhoedlog!)

"ENWAU SBEIT. Dyma lysenwau a glywes y Golomen wrth hedeg ôl a blaen hyd Ogledd Cymru ...

*Sir Drefaldwyn*
*Brain Llanrhaeadr-ym-Mochnant, Ceirw Llanfyllin, Llygod Llanfair Caereinion, Malwod Meifod.*

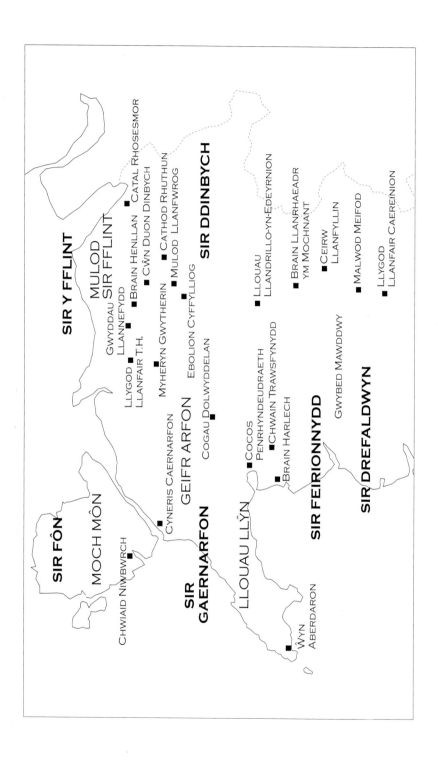

## Sir Ddinbych
*Brain Henllan, Cathod Rhuthun, Cŵn duon Dinbych, Ebolion Gyffylliog, Gwyddau Llannefydd, Llygod Llanfair Talhaearn, Mulod Llanfwrog, Myheryn Gwytherin.*

## Sir Feirionnydd
*Brain Harlech, Cocos Penrhyndeudraeth, Chwain Trawsfynydd, Gwybed Mawddwy, Llouau Llandrillo-yn-Edeyrnion.*

## Sir Fôn
*Chwiaid Niwbwrch, Moch Môn.*

## Sir Fflint
*Catal Rhosesmor, Mulod Sir Fflint.*

## Sir Gaernarfon
*Cogau Dolwyddelan, Cyneris Caernarfon, Geifr Arfon, Llouau Llŷn, Ŵyn Aberdaron.*"

**dim mwy o syniad na thwrch daear am haul**

> **dim mwy o syniad na buwch am olwyn berfa** Lluosog berfa gyda llaw yw **berféi\*** a'i llond yw **berfâ'd**, berfâid, ll. **berfeidia'**.

**Dwi'n g'neud be' 'na'th y diafol 'rioed mo'no fo – ych gada'l chi** Cellwair wrth ganu'n iach.

**dyn hel plant i'r ysgol** Walter Jones, Pwllheli oedd hwn i ni, gŵr bonheddig a fu farw yn 2003 yn 93 oed. Gwasanaethau Cymdeithasol fyddai'r enw arno heddiw.

> **y llong fawr** Byddai plant anufudd yn cael bygwth eu hanfon i'r llong oedd yn cadw plant troseddol. Roedd amryw o longau yn gorffen eu gyrfa ar lannau afon Menai, fel y llong hyfforddi HMS Conway, ond credwn mai'r HMS Clio oedd y llong fawr.

**dyn pobol ddiarth** Mae hwn lawn cystal â'r ddihareb hon:

(**Angel pen ffordd, diafol pen pentan**)

**Dyro fo lle rhoth Wmffra'i fawd** Gwrthod yn wawdlyd.

   **stwffia fo**

**Ddeil dim byd iddo ond croen 'i fol** Am rywun gwastrafflyd.

   **didoraeth** Didoreth. Gwastraffus i ni (un da-i-ddim yn amlach yn y De).

**Ddifarodd neb erioed gau'i geg, ond mi ddifarodd ugeinia' o'i hagor hi**

   **cau dy hopran** Cau dy geg. Hopran yw ceg llydan y cafn sy'n llyncu'r ŷd i felin, neu lysiau i beiriant malu. S. *hopper*.

   **rhoid caead ar 'i bisar o** Dweud rhywbeth i beri i rywun gau ei geg.

**Eith brân ddim gwynnach o'i golchi**

   **coman** Ansoddair am bobol heb falchder, yn isel eu hymarweddiad.

   **hen fochyn / hen hwch** Rhywun blêr neu fudur.

   **'sguthan** Merch annymunol. Weithiau â golwg flêr neu fudur.

   **slebog** Un ai dynes goman neu un flêr, fudur.

**A ewyllysio ddrwg i arall, iddo'i hun y daw**

(**A heuo a fedo**) Gall hynny olygu'r da a'r drwg.

(**A heuo ddrain, na cherdded yn droednoeth**)

(**A heuo ysgall a fêd ddrain**)

dim mwy o syniad na buwch
am olwyn berfa

**yr hen faw ci** Am rywun a wnaeth dro gwael

    **cachwr** Cyhuddiad wedi tro sâl weithiau (llwfr ydyw fel arfer). 'Y cachwr, a chditha wedi gaddo…'

    **dan-din** Cachwraidd, slei.

    **hen dro gwael**

        **hen dro** Biti garw.

**y peth gwael**

**sinach** Un annymunol a slei.

**sleifiwr** Un slei, llechwraidd

**Tydi o fawr o goffi** Un pur ddiwerth.

**Tydi o fawr o gop** neu **ddim llawar o gop** Dim gwerth ei ddal, o'r S. *cop* sef *catch*.

**Does fawr o ruddin ynddi** Cymeriad gwan.

**Does fawr o waelod ynddo fo**

**Fuost ti 'rioed yn Llunda'n?** Wrth rywun aeth drwy ddrws heb ei gau ar ei ôl.

**Mi 'ffeia'i di** Cerydd go flin a glywem yn blant wedi gwneud rhyw ddrygioni. Daw'r ferf o'r ebychiad 'ffei i ti!' sy'n golygu 'ymaith, rhag cywilydd!' Nid yw'r un peth â'r ferf dyffeio (gw. isod) er ei bod yn aneglur weithiau p'run a olygir wrth ddweud, 'Mi dy ffeia i di'. S. *fie*.

**y gair garwa' 'mlaena' gynno fo**

    **dim blewyn ar 'i dafod** Sef diflewyn-ar-dafod, yn dweud y gwir heb ochel ei eiriau.

    **â'i lach ar bawb** Yn feirniadol o bawb.

**un garw am y cochion** Un hoff o hel pres, ond nid o angenrheidrwydd yn gybyddlyd fel y rhain:

    **hen gyb**

    **un tynn**

**Mae gen ti wynab** Wrth rywun haerllug.

**hen wep** Un haerllug

**dig'wilydd fel giât**

**dig'wilydd fel post llidiart**

(**Y sawl fydd ddig'wilydd fydd ddigollad**)

**Gora' daero f'asa' hi** Ni waeth heb â dadlau heb wybod pwy sy'n iawn.

(**Y diafol yn gweld bai ar bechod**)

(**Tinddu medda'r frân wrth yr wylan
A hitha'n ddu 'i hunan**)

**gwerthu lledod** Seboni neu ddweud rhywbeth er eich budd eich hunan, yn ariannol gan amlaf.

**llyfwr tin** Crafwr, sebonwr.

(**Gwybed y baw a hed ucha'**) Rhai a wnaeth yn dda iddynt eu hunain gan anghofio'u cefndir tlawd. Nid yw'r nesaf mor ffodus!

**Eith hi ddim uwch na baw sawdl**

**★Be' haru ti / chdi?** Cwestiwn lled feirniadol yn golygu 'beth oedd arnat ti?' 'Beth a ddarfu iti' a geir yma efallai, yn hytrach na'r ferf haru.

**★be' stad iti dywad?** Dywediad tebyg, yn yr amser presennol – beth sy'n bod arnat ti dywed? Talfyriad efallai o rywbeth fel 'beth sy'n dod iti?'

**y mochyn grôt** Cerydd ysgafn i rywun a wnaeth ryw flerwch bach. Pedair ceiniog oedd grôt.

**(Hy' pob ceiliog ar 'i doman 'i hun)**

**cawr / cawras** Am un hunan-bwysig. Ond hefyd i dynnu coes pan fydd achos i ymfalchïo – 'Ew, mae o'n gawr rwan,' meddid am hogyn yn ei drowsus llaes cyntaf.

**coc oen** Un sy'n niwsans yn tybio'i fod yn well nag y mae.

**yn dangos 'i hun**

**hen dyrcan** Gwraig falch, ffroenuchel.

**y fi fawr** Rhywun ymffrostgar.

**jarff / jarffas / jarffio** Enw ar rywun bostfawr, hunan-bwysig neu sy'n orchestgar yn gyhoeddus. Caiff ambell un lysenw am hynny, fel Wil Jarff.

**lartsh** Ansoddair am un balch, ffroenuchel eto. S. *larch*.

**llanc / llancas** Un balch a chwyddedig, ond fel y cawr uchod mae hefyd yn enw ysgafn edmygus: 'Rwyt ti'n llancas yn y gôt newydd yna'.

**yn meddwl 'i hun** Hunandybus.

**pen bach** Yn meddwl ei hun, ac yn annoeth a mympwyol.

**tipyn o froliwr** Un sy'n brolio, yn canmol ei hun o hyd.

**(Iacha'i groen, croen cachgi)** Mae'n rhyfedd bod cymaint o'r enwau diraddiol a ganlyn (sy'n cynnwys y gair ci) yn sôn am ddynion, a dim ond un **hen ast** rhwng y merched i gyd!

**blergi*** Enw ysgafn ar un blêr.

**brolgi** Un yn brolio.

114

c'lwyddgi

**cranci** Un hunanol, anystywallt. Nid rhyw fath o gi a geir yma, wrth gwrs, ond dylanwad yr enwau eraill ar y gair cranc.

**diogwn★** Fersiwn lluosog o diogyn am griw o bobol ddiog. Rydym yn cynnwys yr enw hwn am bod rhesymeg diddorol tebyg i eiddo cranci y tu ôl iddo, sef y ferf diogi yn digwydd swnio fel un o'r cŵn yma.

**drewgi** Dyn aflan.

**hwrgi** Dyn sy'n ffroeni ar ôl merched o hyd.

**llechgi** Dan-din. Croesiad o gi defaid a milgi (S. *lurcher*) yw llechgi.

**llymgi** Creulon a slei.

**penci** Pengaled, anufudd.

## Mae isio dau i ffraeo

**blagardio** Dannod a cheryddu'n hy. S. *black-guard*.

## cega

## colli'i thempar

**colli'i limpin** Colli tymer yn arw, heb reolaeth. Y limpin yw'r peg haearn drwy'r echel y tu allan i'r both i ddal olwyn yn gadarn. S. *lynch-pin*.

**harllio★** Ffraeo, dannod yn anfoesgar. 'Maen nhw'n harllio ar 'i gilydd eto.' Tybiwn mai berfenw ydyw o'r enw harl sy'n golygu ymrafael, cynnen.

**harthio arni / arno fo** Arthio, troi ar rywun yn ffyrnig.

**troi'r tu min** Mynd yn gas.

**Ma'i le fo'n well na'i gwmpeini o** Am rywun annerbyniol sydd wedi gadael.

**Tywydd teg ar 'i hôl hi** Byddai 'gwynt teg ar ei hôl' yn fwy cyfarwydd mewn rhai ardaloedd.

***lom / lomi,** ll. **lomis** Llysenw plant y dre arnom ni blant y wlad, yn golygu ein bod braidd yn ddwl a hen-ffasiwn. Ni chofiwn am unrhyw enw cyfatebol arnyn nhw chwaith. Dichon y daw o S. *loam* – y math gorau o bridd!

**pobol 'lâd** Enw trigolion y dre, Pwllheli ar bobol a ddaw o'r wlad i'r dre yn enwedig ar ddydd Mercher, y diwrnod marchnad. (R.J.)

**llaw flewog** Lleidr.

**(A ddygo ŵy a ddwg a fo mwy)** Dwyn peth di-nod yn creu lleidr gwaeth.

**(Dangos i mi ddyn c'lwyddog ac mi ddangosaf finna' i ti leidar)**

**Lle bo camp bydd rhemp** Gwendidau gan rywun galluog a dawnus.

**Mae o fel llo g'lyb** Un diegni a diafael, fel llo newydd ei eni.

**di-ddim** Un heb allu nac awydd ynddo, neu rywbeth digon sâl e.e. llyfr di-ddim.

**di-ffrwt** Difywyd. Sŵn berwi yw ffrwtian.

**fel rhech 'lyb** Am rywun di-ddim, fel y briod-ddull Saesneg.

**rhech ddafad** Enw ar rywbeth diffrwt.

**Paid â llybindio'r ci yna** Hefyd **llybindiwr**, un yn poenydio, pryfocio'n boenus.

**Mae o'n hegar efo'r ceffyl yna** Nid rhywbeth dolurus fel briw neu godwm yn unig sy'n egr ond ymddygiad garw.

**wedi llyncu Beibil** Gordduwiol.

**malu glo mân yn glapia'** Gwag-siarad.

**brywela\*** Neu **br'wela**. Siarad lol, mwydro.

**berwi** 'Paid â berwi, 'nei di?'

**hel gwynt i sach** Siarad ofer eto.

**lolyn** Un yn gwag-siarad o hyd.

**malu cachu**

**malu awyr**

**paldaruo** O baldorddi dan ddylanwad y gair rhuo, a dywedir **paid â rhuo** hefyd.

**rwdlan / rwdlian** Lolian.

**rwdlyn** Un sy'n hoff o ryw lol o hyd.

**rhefru** Siarad lol swnllyd. Hen air am din yw rhefr, felly mae hwn yn gyfystyr â'r dywediad hyll isod, siarad drwy'i din.

**siarad ar 'i gyfar** Heb wybod am ei bwnc.

**siarad cachu rwtsh**

**siarad drwy'i din**

**fel malwan mewn tar** Am rywun yn araf iawn yn symud neu'n gweithio.

**Mae o fel oes**

**meddwi yn llewys 'i grys** Yn feddw yn ystod y dydd.

**'Thâl meddwl ddim i ladd dyn** Wrth wneud rhywbeth pwysig, dyma'r ateb a gewch os na fyddwch yn siŵr sut i fynd ati. Hynny yw, bydded y ffeithiau yn ddiogel gennych.

**Meddwl oedd y dyn 'nw hyfyd, pan 'na'th o yn 'i drowsus** Ateb i'r amddiffyniad, 'Wel, meddwl 'nes i ...' Yna os gofyn y llall, 'Meddwl be'?' yr ateb yw **Meddwl medra' fo ddal!**

**fel mochyn unglust** Un yn rhuthro drwy ei orchwyl heb ofal cytbwys.

**y tarw Basan!** Wrth un rhy wyllt. Cyfeiriad at deirw Basan o Lyfr y Salmau.

**y m'w'ddrwg★ bach, ty'd yma** Mawrddrwg, enw ysgafn ar hogyn direidus.

**yn llawn castia'** Neu **castiog**, am rywun direidus.

**'stimddrwg** Ystumddrwg. Ceir dau ddefnydd ohono: (1) Ansoddair am rywun twyllodrus, drwg; 'hen gena' 'stimddrwg'. (2) Enw chwareus ar blentyn direidus: 'Cer o'ma'r 'stimddrwg bach'.

**'stim'rwd★** Amrywiad ohono: 'Hen 'stim'rwd o foi.'

**y trychfil / trychfilyn** Wrth hogyn bach drygionus neu drafferthus.

**mynd i Rhiw i chwilio am Nefyn** Siarad yn hirwyntog.

**mynd i siambar sorri** Digio.

**sorllyd** Wedi sorri.

**sorri'n bwt**

**Mae arni'i ofn o fel gŵr â chledda'** Rhywun i'w ofni'n fawr. Dywediad da sy'n amlwg yn ganrifoedd oed.

**Paid â palu c'lwydda'** H.y. dweud celwyddau.

**Paid â patsian** Paid â mwydro.

**Paid â phinio dy lawas arna' i** Rhybudd i beidio disgwyl eich bod yn gweithredu neu'n siarad ar ran rhywun arall. Prioddull Seisnig.

**fel piso dryw yn y môr** Rhy annigonol neu ddi-nod.

**pregethu padar i berson**

**(yr oen yn dysgu i'r ddafad bori)**

**Rhaid i bob segur ga'l r'wbath i'w 'neud** Am rywun yn camymddwyn.

**g'neud dryga'** Am blant neu ieuenctid yn gwneud mân ddrygioni.

**mistimanars** Drygau eto. S. *misdemeanors*.

**rhoid hanas 'i nain iddi** Rhoi cerydd, dwrdio.

**dangos be' ydi be' iddo fo** Yr un fath.

**rhoid pilsan** Neu **pilsio**, rhoi ergyd eiriol.

**Paid â sbïo fel llo fel'a** Golwg ddwl, ddiddeall – neu weithiau olwg brudd.

**y llwdwn** Wrth fachgen hurt a diddeall. Enw anifail ifanc yw llwdwn.

**dwl fel meipan** Am ddyn anneallus.

**penbwl**, ll. **penabylia'd** Dyn hurt.

**pen dafad** Dyn dwl, ystyfnig. Hefyd un mympwyol.

**pen rwdan** A **pen rwd**. Tebyg i feipan!

**hen sgruglwd***** Dyn croes annifyr. Nid yw'n anhebyg i grigwd sef adyn yn ôl GPC, yr un fath â *grigou* yn Ffrangeg. Ni chlywsom ni hwnnw yma ac eithrio yn englyn Dewi Wyn a ddyfynnir gan E. D. Rowlands yn *Prif-feirdd Eifionydd*. Deuddeg oed oedd Dewi yn gwneud yr englyn i hogyn oedd wedi achwyn yn Ysgol Penmorfa:

Dic Morus, fradus, di-fri – hen chwannen
   Yn chwennych drygioni;
  Y gwar cam a'r garrau ci,
  Y grigwd, fe haeddai 'i grogi.

Dyma ragor o bobl aflawen ac annifyr! *Clywir* **hen** *o flaen yr enwau yn amlach na pheidio:*

**ast / bitsh** Merch flin neu dwyllodrus.

**brych** Dyn annymunol. Y brych yw'r rhan o'r groth a fu'n cynnal bywyd baban neu gyw, sy'n ofer wedi'r geni (S. *afterbirth*).

**cena' / c'nawas** Un cas neu greulon. Cenau yw ci neu lwynog bach, a fedr frathu'n boenus.

**cerlyn** Un cas eto. Ei ystyr wreiddiol yw carl, taeog. S. *carl* (*churl*).

Gorsaf Afon-wen a thrên o Bwllheli, 1963. Man sefyllian ar gyffordd trenau'r LMS a'r GWR tan 1964, ond lle hudolus ar lan y môr i ni.

Llun: Steve Poulson, o gasgliad Kenneth Robinson.

Gorsaf Afon-wen o'r bont arall uwch y môr, trên rhif 82005 o Bwllheli, Awst 10fed, 1962. Nid oes 'sglodyn na bricsan o'i chrefftwaith cadarn ar ôl ar reilffordd y glannau, wedi'i fandaleiddio hi a'r cyswllt i Fangor.

Llun: Derrick Joanes.

**cingro'n** Dyn blin, cas. Ffwng drewllyd yw cingroen, ond gelwir llysiau'r gingroen hefyd ar elyn y ffarmwr, y chwyn troed y frân (*senecio jacobaea*, S. *common ragwort*) sydd yntau'n ddrewllyd ac yn wenwynig hefyd. Rhwng popeth, felly, nid rhywun neis iawn.

**clechor** Dyn cas, anhydrin.

**cotsyn** Dyn cas neu annymunol.

**crimog**★ Dyn annifyr neu niwsans, a drwg weithiau. Asgwrn blaen hir y goes yw ei ystyr arferol.

**crinc**★ Un croes, cwerylgar.

**cwd / cwdyn** Dyn croes. Ond dro arall rhybudd diamynedd ydyw: 'Gwranda, cwd!'

**cythra'l o ddyn / ddynas**

**y Cythra'l 'i hun** Un ofnadwy o ddrwg neu niwsans.

**y Diawl 'i hun**

**hen faedan** Maeden, merch gas, ddigywilydd.

**jadan** Jaden, dynes dwyllodrus, gas. Weithiau hefyd am hogan ddigywilydd – 'yr hen jadan bach'. S. *jade*.

**llymbar** Dyn croes neu niwsans (gw. llembo).

**y sbrych** Enw difenwol cyffredinol.

**sgrwb** Rhywun annifyr neu niwsans.

**sgwd**★ Un annifyr neu gas. Byddwn yn ei arfer am roi gwthiad hefyd.

**sopan** Sopen, un groes, yn ddynes neu'n anifail benyw!

**hen stwffwl** Neu fel **stwffwl** ac **wedi styffylu**, am rywun ystyfnig neu anufudd. S. *staple*, hoelen ddwbwl.

**fel mastiff** Ystyfnig iawn. Enw'r ci nerthol, oherwydd dylanwad penci efallai.

**stimbo*** Un afresymol o ystyfnig. Mae'n debygol o fod yn cynnwys yr elfen ystum fel yn 'stimddrwg.

**symol o'dd hi** Talfyriad o rhesymol ond ei ystyr yw pur sâl, nid pur dda. 'Sut oedd y ddrama?' – 'O, symol.'

**y tu hwnt i hwntw** Am rywbeth diarhebol neu ormodol. Blas y gynghanedd ydi hyn ac nid athrod ar Ddeheuwyr, gobeithio.

**Twll dy din di, ffaro!** Dywediad ar ôl hanes yr Israeliaid yn dianc o'r Aifft o flaen y Ffaro, a Duw yn peri i'r Môr Coch gau am yr Eifftiaid a'u boddi i gyd, yn garedig iawn.

**twll din ffaro** Amrywiad ohono, megis ebychiad ysgafn pan fydd rhywbeth bach yn mynd o'i le.

**Twll dy din di'n g'leuo mellt!**

**Does dim t'w'su na thagu arno fo** Ystyfnig, fel ceffyl anfodlon ei dywys.

**gwaetha' fi'n 'y nannadd** Methu'n lân â chymell rhywun ystyfnig neu heriol.

**mi dyffeia'i di** Hynny yw, mi ddaliaf mai fi sy'n iawn, waeth beth ddywedi di. S. *defy*.

**Wel'is i 'rioed yn 'y myw y ffasiwn beth – a dwi'n fyw ers pan anwyd fi**

**Mi wêl y diog le i ista yn mhob man** Rydym wedi sôn yn barod am enwau ar ddynion mawr neu flêr; mae'r rhain yn naturiol yn tueddu i fod ar draws pawb, felly ceir amryw o ddisgrifiadau fel y **llarbad diog** a'r **llabwst diog** ac ati.

**cleiriach** Dyn diog, diwerth yw hen gleiriach i ni.

**digychwyn** Anewyllysgar, diog.

**y panal diog** Wrth ddiogyn. Peth moethus yw panal (gw. gwisgo ceffyl, adran O Gwmpas y Lle).

**Mi 'nei di well drws na ffenast** Wrth un sy'n cuddio golygfa neu gysgodi golau.

**Mi wertha' 'i nain am geiniog** Mae yna lawer o bobl fel hyn o gwmpas, fel y rhain:

**hen lwynog** / **tipyn o lwynog** Un go slei neu gyfrwys.

**rafin** Dyn ofer ac amharchus, a drwg weithiau.

**rapscaliwn** Un tebyg mwy gwyllt. S. *rapscallion*. Enwau Saesneg yw'r tri nesaf hefyd; ymddengys bod y Saeson yn waeth pobol na ni.

**rêl ffleiar** Un cyfrwys-ddrwg.

**rêl rôg** Enw arall am yr un cymeriad.

**hen wag** Tynnwr coes.

(**Ni cheir gan lwynog ond ei groen**)


## Taro a churo

Gallech feddwl ein bod yn bobol gynhenus ac ymladdgar; mae gennym fwy o ddewis o enwau am roi ergyd neu gweir i rywun nag am unrhyw ran arall o'n bywydau! Mae'n ddiamau bod yr elfen o ymffrost ynglŷn â'r holl beth yn fagwrfa i iaith liwgar, ac y mae'n arwyddocaol mai iaith llanciau ydyn nhw fel arfer. Mae'n arwyddocaol hefyd felly gymaint o'r rhain sy'n eiriau Saesneg, gan bod benthyg o'r Saesneg yn beth mor ffasiynol erioed.

**Paid â gwrthod dim byd gen neb, ond cic-yn-din a chlustan**
Mae'r cosbau cas hyn i gyd yn diflannu gobeithio:

**bonclust** Ergyd llaw agored tu ôl y pen.

**celpan** Ergyd blaenau'r bysedd tu ôl y pen. S. *clip.*

**cic yn 'din** Cic dan ben-ôl.

**clustochi** Rhoi sawl **clustan**, taro boch yn ffyrnig â chledr llaw.

**chwip-din** Slap efo llaw ar ben-ôl plentyn.

**gwialan fedw** Ffon fain a gâi ei chadw yn y tŷ i guro plant, nes i'r arferion creulon ddiflannu tua chanol yr ugeinfed ganrif.

**peltan / peltio** Tebyg i fonclust. Gall peltan hefyd olygu ergyd dwrn fel rhai'r adran nesaf. S. *belt.*

**y strap** Belt lledr trowsus, a gâi ei dynnu i roi cweir i blentyn eto. Dim ond bygythiad oedd y strap yn tŷ ni diolch byth, pan fyddem wedi troseddu'n o ddrwg. (Fel y tro hwnnw pan ddaru dau ohonom lusgo sachaid o hwyaid i ben y tŷ gwair a'u taflu i'r awyr i'w gweld yn hedfan, gan eu brifo nes gorfod lladd un neu ddwy. Yna gorchymyn i ni fynd i'r gegin foch i aros am y strap, a ninnau yno'n bur ofnus hyd nes y daeth maddeuant.)

**Mi trawa' i di i ganol wsnos nesa'**

**cleran** (cleren, pry â phigiad cas.) Un ddyrnod ydi hon, a'r lleill.

**homar\*** Dyrnod galed iawn, mwy na'r lleill. Byddwn yn ei ddefnyddio hefyd, wrth gwrs, fel **homar o ddyn** am ddyn mawr cryf. Er y geill fod arno ddylanwad y S. *hammer*, tybir mai'r prifardd Groeg enwog, Homer yw'r patrwm yn enwedig yn yr ail.

**lempan** S. *lump.*

**waldan\*** S. *welt.*

**waroc\*** Dyrnod galed. Yn ôl GPC mae gwarrog yn medru golygu ergyd ar war rhywun.

**cwffio fel cath wyllt** Ymladd ac ymrafael, wrth gwrs, yw cwffio (S. *cuff*). Clywir yr enw **cwffas** weithiau (er bod **ffeit** yn disodli hwnnw), ac ymladdwr o fri yw **cwffiwr** fel y rhai nesaf. Ceir dewis da o eiriau am ddau yn dyrnu'i gilydd go iawn:

**coedio / coediwr** Berf yn tarddu o guro efo ffon, mae'n siŵr. (Ceir ystyr arall iddo yn yr adran nesaf, O Gwmpas y Lle, yn cyfeirio at yrru car.)

**colbio / colbiwr** S. *club.*

**ffustio** Gair o'r oes cyn yr injan ddyrnu, pan oedd raid ffustio'r ŷd ar lawr sgubor agored.

**hamro / hamrwr** Cymreigiad go ddiweddar o S. *hammer.*

**pannu / pannwr** Atgof o'r gwaith o guro brethyn yn y pandy.

**pwyo**

**waldio / waldiwr**

**Mi ro' i dy groen di ar 'parad** (ar y pared, fel croen anifail.) Bygwth curfa.

**Mi ddangosa' i iti faint sy' tan y Sul** Ceir amryw o eiriau unigol am roi cweir iawn i rywun efo dyrnau:

**coed** Gw. coedio.

**côt**

**cweir**

**cwrban / cwrbitsh** S. *curb*, mae'n debyg.

**leinio** A **leiniwr** am ymladdwr hysbys.

**stîd / stido** A **stidwr**, enwau a berf o ardal y chwareli efallai.

**'stwyo** Cystwyo.

# O Gwmpas y Lle

**Mae o'n bedwar aelod a phen** Cyflwr rhyw declyn neu rywbeth wedi datod neu ddatgymalu'n llwyr.

**wedi malu'n racs**

**yn racs grybibion** Yn gyrbibion.

**Mae yno bob peth ond gras a hoelion clocsia'** Disgrifiad o siop yn cadw pob-dim. Fel y Post yn Chwilog lle sonnir am gwsmer yn dweud wrth Elias Jones, tad David Lloyd Jones: 'Dwi'n siŵr bod chi'n cadw pob peth ond gras yma.' 'Wel,' meddai yntau, 'mi fuos i'n cadw hwnnw 'fyd, ond do'dd neb yn gofyn amdano fo.'

Sôn am hoelion: gwelir saer coed yn dal un neu ddwy yn barod rhwng ei wefusau, felly dyma gegiad i'w hychwanegu at y llond tun sydd yn y *Cydymaith Byd Amaeth*:

**hoelan bedol** Hoelen bedoli ceffyl.

**hoelan clocsia'** Hoelen fach fel y rhai ar ledr clocsen. S. *tintack*.

**hoelan doi** I ddal llechen, â phen gweddol lydan.

**hoelan 'sgidia'** Yr hoelion pengrwn ar **'sgidia' hoelion** pobl a phlant.

**hoelan sinc** Un fer â phen llydan a washar i ddal sinc ar do.

**gefa'l bedoli** Gefail fach bengron i dynnu hoelion.

**gefa'l fawr** I dynnu hoelion mwy a styffylion.

**powltan,** ll. **powltia'** Bollt haearn, S. *bolt.*

**cafl★** Ffon fer ddwybig ar ffurf Y i ddal drain neu eithin ag un llaw tra'n ei dorri â'r llall efo'r cryman. Gafl yw'r enw ond cafl ddywedir yn y cyswllt hwn.

**fforch eithin** Enw arall arni.

Os wyt ti wedi hogi'n dda, weli di mo'r min;
Os na chest ti hwyl ar hogi, mi gweli o (W.G.)

**calan hogi** Ffon garreg fer o grud caled i hogi min arfau.

**car hogi** Ffrâm bren i hogi cyllell injan dorri gwair. Hogi efo ffeil gan amlaf, ond os oedd dur y llafn yn galed iawn byddai'n rhaid wrth y galan hogi. Achubid ar y cyfle i hogi ar y glaw neu i aros i'r gwlith godi. (H.E.J.)

**hôn** Llechen feddal ddu i hogi cyllell fain neu gyllell boced. S. *hone.*

**maen llifo** Olwyn dywodfaen tua dwy droedfedd ar draws â dolen i droi'r echel, yn gorffwys ar gar haearn cryf, i deneuo min arf trwm ar gyfer ei hogi. Roedd angen taflu dŵr ar y maen yn gyson, a cheid rhai â chafn islaw i'r maen droi mewn dŵr. (R.D.J.)

**stric** Calan bren bedair-ochr yn bachu ar goes pladur i'w hogi. Byddai'n cael ei **seimio** efo saim a'i gludio mewn **grud** mân a gedwid mewn corn buwch.

**car llifio** Ffrâm bren â'i dau dalcen ar ffurf X i lifio coed yn fras arni, yn enwedig coed tân. Mae car yn hen air Celtaidd.

**bwr' llifio** Bwrdd llif ag ynni tractor neu injan oel ac wedyn trydan.

**lli' dennyn** Llif fer â dannedd mân i wneud uniad dau bren, S. *tenon saw.*

**lli' draws** Llif lydan hir â charn ar y ddeupen i ddau ddyn lifio bonyn coeden.

**lli' gron** Llif olwyn fawr gweithdy'r saer.

**dwy droedfadd** Pren mesur deublyg saer yn agor ar golfach i ddwy droedfedd o hyd.

**cloban o ffon**

**clamp o bastwn**

**cwt injan oel** Roedd rhamant a dirgelwch yn perthyn i hwn i ni'n blant. Dyma'r unig adeilad ar y ffarm oedd ynghlo, pan oedd yr injan fawr a lanwai'r cwt bychan yn segur. Byddem yn cael mynd i weld y ddefod gyffrous o danio'r bwystfil, ac y mae sawr cryf yr oel yn dal yn ein ffroenau.

**injan oel** Peiriant trwm i gynhyrchu ynni i droi peiriannau yn yr adeilad drws nesaf. Roedd olwyn fawr ar ei ochr yn troi'r **werthyd**, echel drwy'r mur i yrru'r **strap** dros y **pwli** i yrru'r peiriannau.

Braf ydi gweld a chlywed injan oel ar waith mewn arddangosfa yn troi rhes o'r hen beiriannau ysgubor gan boeri'n uchel fel erioed, fel ar faes Eisteddfod Genedlaethol Meifod, 2003. Mae injans oel yn werth arian bellach, wedi gwerthu cymaint yn sgrap i sipsiwn pan ddaeth y trydan. Dyna ddigwyddodd i 'nacw beth bynnag. Ia, pam na ddaru ni gadw'r plât pres â'r enw Blackstone neu'r plât ag enw Pierce Jones & Sons, Pwllheli? Enw **lle Pyrs** oedd ar y mangl, y fuddai a'r separetor (Lister), fel fflyd o beiriannau eraill Llŷn ac Eifionydd. Y *Sons* oedd Robin, Rhys a Sam, teulu o Frongadair, Chwilog.

**cwt malu** Adeilad neu ysgubor drws nesaf i'r injan oel ar gyfer peiriannau malu bwyd i'r anifeiliaid fel yr *injan eithin, *injan ŷd, y *chaffcutter* i falu gwellt a **sgrapar** i ysglodi maip ac ati.

*cylchu rhaff Dolennu rhaff i'w chadw.

**cyllall injan dorri gwair** Enw'r llafn hir danheddog, sy'n para yn oes y tractor.

**rodan** Ffon o'r cocos i'r gyllell i'w gyrru'n ôl a blaen, ac enw arall a erys gyda'r tractor. Pren onnen oedd hon fel arfer, yn dal y cryndod heb dorri'i phen yn well nag un haearn. Mae'n hen ffasiwn heddiw ond byddai'n gyfleus i ni i gael rodan onnen newydd yn syth o weithdy'r saer yn y Pandy. S. *rod*. (R.D.J.)

*Dyro fo yn yr afael Neu 'Tyn o o'r afael'. Gêr unrhyw beiriant, fel tractor. Mae car modur yn eithriad – am ryw reswm, dim ond gêr ddywedwn ni am hwnnw.

**clocsan** Lletem haearn i lithro dan olwyn peiriant trwm, i'w ffrwyno.

**troi dano / dani** Olwyn car neu dractor yn troi yn ei unfan ar dir llaith neu eira.

*ffolt moch Y lloc bychan llawr carreg o flaen cwt mochyn, yr un gair â ffald (S. *fold*).

**gegin foch** Adeilad cerrig bychan efo popty wal a dwy foelar haearn, un fach i olchi dillad gynt, ac un fawr i ferwi tatws i'r moch a'r ieir.

**soeg** Bwyd moch o weddill yr haidd gwlyb ar ôl darllaw (bragu).

**Ffordan bach** Yr hen dractor Fordson. Mae'n enw benywaidd am bod y car **Ffordyn** wedi'i ragflaenu. Roedd llysenwi hoff gar a thractor fel hyn yn beth naturiol ar derfyn oes y ceffyl, a darfu'r arfer i raddau pan ddaeth cymaint rhagor o fodelau ar y farchnad.

**Ffyrgi** Nid un o dywysogesau da-i-ddim Lloegr ond y tractor cyfleus – a chwyldroadol yn ei ddydd – y Ferguson bach llwyd hoffus. Daeth yn ffasiwn fawr i adnewyddu'r hen dractorau a'r Ffyrgi yw'r mwyaf poblogaidd o lawer. Pwy a ŵyr nad dyna yw Tecwyn y Tractor, Margiad Roberts, dan ei gôt orau goch?

*****fforch datws** Fforch â thair pig, yn llydan rhag difwyno'r tatws.

*****fforch deilo** Un â'i phedwar pig main yn gam i daflu tail yn rhwydd.

**picwarch** Pigfforch ddwybig gam nad yw'n cydio'n rhy dynn yn ei llwyth, hwylus i symud gwellt neu wair. Gwelir weithiau un â thair pig a choes rywfaint yn hirach, sy'n addas i drin gwair rhos manach.

**giât mochyn** Giât fechan ar lwybr oddi mewn i ffrâm haearn gron na all anifail fynd drwyddi.

**fflodiart** Drws i gronni a gollwng dŵr o lyn. S. *flood-gate.*

**hyrdlan** Giât bren ffwrdd-â-hi a grogir dros dro mewn adwy. S. *hurdle.*

*****gogor gwningwr** Gogr hirgrwn i ogrwn pridd mân i guddio trap cwningen (anghyfreithlon bellach) ger y twll. Mae rhan o gylch yr ochr yn syth, tua phum modfedd o hyd – i'w osod ar ei gêl efallai, er na wyddom pam. Ni wyddom chwaith beth fyddai'r cwningwr ei hun yn ei alw. (H.E.J.)

**padlan**\* Rhaw fach gul i dorri lle i'r trap a rhoi pridd yn y gogr.

**gogor lludw** Gogr crwn bras i ogrwn y llwch oddi ar farwor wedi glanhau grât tân glo.

**\*gogor tatws** Un mawr crwn tua dwy droedfedd ar draws, â weiren bleth fras i ogrwn pridd a cherrig oddi ar datws, wedi iddynt sychu ar ôl eu hel ar dywydd llaith.

**gwisgo ceffyl** Wrth ddal ceffyl rhydd yn y cae defnyddir pwt o gortyn i led-blethu **cebystr** (S. *halter*) sef penffrwyn bach i'w **dwsu** (tywys) adref. Yna rhaid gwisgo'r holl **gêr** i roi ceffyl gwaith neu **wedd** (pâr o geffylau gweithio) yn y tresi. Maent ar lafar mewn llawer bro.

**bachu** Cysylltu'r tresi â throl neu offer gwaith (yna'u **dadfachu**, gollwng y baich).

**cap** Ffrwyn â mwgwd lledr dros lygaid ceffyl gwaith.

**cefndras** Cefndres, strap llydan dros ei ben-ôl i ddal cadwyni hirion.

**colar** Coler esmwyth i gymryd pwys y gwaith.

**cengal** Cengl yw'r strap dan ei fol i ddal y strodur yn ei le. (Gw. hefyd dermau'r fuwch yn adran Byd Natur isod.)

**cyrn** Dau ben cam y mwnci, ar gyfer codi'r lein yn glir.

**garwdan** Cadwyn dros y strodur i gynnal pwysau fel llorpiau trol.

**lein** Yr awenau hir i arwain o'r tu ôl i wŷdd neu og. Gelwid unrhyw raff fain hefyd yn lein.

**mantol** Pren a chadwyn i gyfuno tinbrenni'r wedd i dynnu gwŷdd neu og.

**mwnci** Rhan haearn ar y goler i fachu'r tresi.

*Gwynfor Griffith yng ngweithdy saer Hendre Bach, Rhosfawr, Hydref 1975. (Llun i'r 'Cymro', Rhagfyr 9fed, 1975, o gasgliad Geoff Charles trwy ganiatâd Llyfrgell Genedlaethol Cymru.)*

*Y Lôn Goed (ger Coed-cae-du), nodwedd hynod cefn gwlad Eifionydd o Bont Ffriwlwyd, Afon-wen heibio Chwilog am bedair milltir hyd at Hendre Cennin, Brynengan. Asiant Plas Hen a'i gwnaeth i gario calch a glo i ffermydd y stâd.*

**panal** Gwellt neu wair esmwyth tu mewn i'r goler a'r strodur.

**sgrafall** Crib haearn i gribo'r mwng.

**strodur** Cyfrwy a rhigol haearn arno i gynnal y garwden.

**tinbran** Tinbren yw'r pren neu haearn cam yn groes dan ben-ôl y ceffyl i gydio'r tresi o'r goler i aredig neu lyfnu.

**tindras** Tindres, strap am ben-ôl y ceffyl ar gyfer bagio'n ôl, a hefyd i ddal llwyth yn ôl ar riw.

**tordras** Tordres, strap dan fol ceffyl i ddal llorpiau trol i lawr rhag codi dan bwysau llwyth.

**tyniad** Cadwyn bob ochr o'r mwnci i'r llorp i dynnu trol.

**Mae o'n gwllwng fel gogorn\* uffarn** Dywediad am lyn y felin gan Ann Jones y Felin, Chwilog, hen gymeriad a gofiai 'Nhad oedd yn dal i gadw mul i gario pynnau. Ni chlywsom ni'r ffurf gogorn am ogor.

**gwllwng fel basgiad** Dywediad tebyg am bwced neu rywbeth yn gollwng dŵr yn ddrwg.

**gwllwng yn bistyll** Gollwng yn waeth fyth.

**Gwynfor Griffith, Penrhos Villa, Y Ffôr** Yr un i fynd ar ei ofyn unwaith eto oedd ein cefnder Gwyn (gw. Robert Jones, adran Hwyl a Hamdden) a dyma res arall o straeon ganddo, a ddaeth ar bapur mewn ysgrifen bensel fel pob saer. (G.Js)

*"Cefais fy mhrentisio yn saer coed yn Hendre Bach, gweithdy saer ger y Ffôr. Yr oeddwn yn cael fy hyfforddi gan chwech o seiri profiadol iawn ac un ohonynt oedd Gwynfor. Roedd y rhain yn arwyr i mi. Mae blaen esgid saer yn troi at i fyny am ei fod yn penlinio cymaint, a bûm innau cyn mynd i gysgu yn rhoi pwysau ar flaenau f'esgidiau dros nos i'w plygu fel rhai'r lleill!*

*Hen lanc oedd Gwynfor, un o'r cymeriadau digrifaf a welais erioed. Rhyw stwmpyn bychan oedd o, llawn direidi. Roedd yn saer arbennig o dda, yn fardd ac yn arlunydd.*"

**gwneud yn saff** Fel y gŵyr y cyfarwydd roedd Rhys Roberts, Hendre Bach yn ymgymerwr angladdau. Un bore daeth at Gwyn a dweud, 'Mae un o'r *Poles* yn Penrhos wedi marw; mi gei di wneud arch iddo fo ar 'ben dy hun'. *"Cefais hwyl reit dda arni, a'r peth olaf un oedd rhaid ei wneud oedd rhoi chwech sgriw i ddal y caead. Daeth Gwynfor o rywle a dweud wrthyf, 'Rho sgriws mwy i wneud yn saff.' Yn fy annoethineb gwrandewais arno. Pan aeth Rhys â'r arch i'r ysbyty, methodd â'i hagor!"*

**dydd yr atgyfodiad** Ym mhen draw'r gweithdy roedd peiriant *sander* mawr ac ar hwnnw y byddent yn sandio caeadau'r eirch nes eu bod yn sgleinio. Un diwrnod roedd Gwynfor yn gwneud arch i rywun, ac wedi iddo sgleinio'r caead cerddai yn ei ôl yn cario'r caead ar ei ben. Pwy ddaeth i'w gyfarfod ond y Parch. W. H. Pritchard, gweinidog M.C. Ebeneser, Y Ffôr ar y pryd, ac meddai Gwynfor wrtho, 'Mae dydd yr atgyfodiad wedi dwad achan!'

**y llun anoddaf** *"Rwy'n cofio Rhys yn dod â phobl ddiarth bwysig i'r gweithdy rhyw ddiwrnod, ac wrth gyfarfod Gwynfor dywedodd Rhys wrthynt, 'Mae o'n arlunydd da ychi.' 'O,' meddai un o'r dynion, 'beth yw'r llun anoddaf ydych chi wedi'i wneud erioed?' 'Llun rhech' oedd yr ateb!"*

**helpu'r** *self-feeding* Roedd peiriant arall ym mhen draw'r gweithdy i blaenio coed; rhoi coedyn i mewn un pen a dôi allan y pen arall wedi'i blaenio (*self-feeding*). *"Ond wrth bod y peiriant mor hen, rhaid oedd gwthio'r coedyn i helpu'r self-feeding. Roedd Gwynfor a fi yn digwydd mynd heibio'r hen beiriant un tro tra roedd Wil Roberts, saer o Chwilog yn gwthio rhyw goedyn mawr trwy'r peiriant nes bod ei wyneb yn biws dan straen. Dyma Gwynfor yn troi ataf a dweud, 'Dyna i ti be' ydi wil powar yli!"*

**waffet a chornel** Gwyn wedi bod yn danfon Gwynfor i edrych am Wil Chwilog yn ysbyty Porthmadog wedi i hwnnw gael ei bendics allan, a wir roedd Wil yn gwella. 'Wyt ti'n gw'bod lle mae Borth-y-gest?' gofynnodd Gwynfor. 'Ydw yn iawn.' 'Dos â fi yno, dwi 'rioed wedi gweld y lle.' *"Ymlaen â ni i Borth-y-gest. Yr adeg honno roedd Mrs Tibbs, Saesnes yn gwerthu hufen iâ trwy hatsh yn ffenest ffrynt Igloo Cafe. 'Be' gymeri di?' gofynnodd Gwynfor. 'Weffar,' medda fi. Cerddodd Gwynfor at yr hatsh a chlywais ef yn gofyn i Mrs Tibbs, 'One waffet and one corner, please.' "*

**Gruffydd yn croesi** Nid fo oedd yr unig un sydyn o blith y seiri. Wrth wneud carthbwll newydd yn Hendre Bach un tro, roedd twll anferth yn y ddaear yn agos iawn i ddrws cefn y gweithdy, a thri o blanciau mawr dros y twll i gerdded drosto. Un o'r rhai cyntaf oedd yn ddigon dewr i gerdded dros y coed oedd Gwynfor, a dyma Wil Richard yn gweiddi, *'Griffiths crossing!'* (Griffiths Crossing = enw lle ar yr hen reilffordd ger Caernarfon.)

**wedi'i weld** Atgof gennym ninnau i orffen. Rhys Hendre Bach yn gofyn i Gwynfor ddelio efo cwsmer, a honno'n ddynes bur grand. 'Gwynfor, wel'ist ti John Lloyd?' (un o'r seiri). 'Do, lawar gwaith,' atebodd Gwynfor. ('O, twt twt,' meddai Rhys, fel arfer.)

(**Amla'i gŵys, amla'i ysgub**) Mae'r *Cydymaith Byd Amaeth* wedi disgrifio'r mathau a rhannau o wŷdd neu aradr yn fanwl felly ni wnawn ond ychwanegu dyrnaid at y casgliad.

*cwlltwr olwyn** Disg main ar ogwydd i dorri'r dywarchen uwchben y swch wrth droi'r gŵys drosodd wrth aredig. Llafn miniog oedd y cwlltwr gwreiddiol ar hen erydr, wedi'i osod at i lawr yn llaes fel y disg.

*gwŷdd 'redig** Gwŷdd yw gwŷdd heddiw, ond ar le bach erstalwm roedd yn gyfleus i wahaniaethu rhyngddo â'r gwŷdd rhychu.

**\*gwŷdd rhychu** Aradr i agor rhychau ar gyfer plannu llysiau fel tatws ac yna i gau'r cwysi dros y rhychau. Gwŷdd un gwys oedd y gwŷdd rhychu ceffyl, â dwy ystyllen i rannu'r pridd i'r naill ochr.

**\*gwŷdd tri rhych** Enw naturiol ar wŷdd rhychu cyfoes ar dractor, S. *three-rigger*.

**y gyji\*** Llysenw ar hen fodur a anwylir gan ei berchennog. Tybiwn iddo darddu o enw'r car rasio cynnar enwog *Moto Guzzi*.

**\*coc tarw** Rhan o beiriant car, meddai Wil Sam, y S. *universal joint* sydd tu ôl i flwch yr afael, y gêr-bocs. Rhaglen deledu TWW yn y chwedegau oedd hi a'r cyflwynydd Wendy Williams yn craffu ar injan yn y stiwdio wrth i Wil roi cynghorion ar sut i ofalu am injis ceir, a fynta'n gwneud ati i grybwyll hwn yn cŵl! (W.S.J.)

**coedio** Gyrru car yn wyllt.

**hen groc**

**cwt moto** Garej.

**jyrrian** Sŵn dirgrynu car neu offer braidd yn rhydd. S. *jarring*.

**ca'l pancan** Cael ergyd i'r car mewn gwrthdrawiad, nid yn ddifrifol. Efallai S. *bang*.

**pincian** Sŵn peiriant dan ormod o straen. S. *pinking*.

**sbardun** Y pedal cyflymder ar gar, o enw'r pigyn caled ar sawdl marchog neu geiliog ymladd.

**Ty'd, mae'r injan yn troi'n wag!** Cwyn rhywun yn disgwyl am gyfraniad un arall wrth wneud gwaith ar y cyd.

**\*troi'n wag** Peiriant yn troi'n rhydd allan o'r afael, heb faich gwaith.

**lyrri ludw** Lorri ysbwriel.

**y drol faw** Enw ysgafn arni.

**llaesod** Llecyn y buchod ar ran uwch o'r beudy.

**rhigol** Ffos fas ar hyd y beudy dan ben-ôl y fuwch i ddal y biswail. Mae'r rhigol yn rhedeg allan o'r beudy ac fel rheol i'r domen dail.

**llofft 'rŷd** Llofft sych uwchben yr ysgubor i gadw cnwd yr ŷd, â drws bychan yn ei lawr i ollwng ŷd drwy hosan ar gyfer ei falu.

**llofft allan** Llofft uwch un o'r beudái, yn stafell wely ar gyfer gweision, sef y llofft stabal enwog.

**postyn tynnu** Postyn cornel cry i ddal y pwysau o dynnu gwifren hir yn dynn.

**gosod stancia'** Rhoi rhes o bolion byr, y **stanc** (S. *stake*) i gynnal y wifren neu ffens.

**yn canu** Mae'r wifren yn ddigon tynn pan fydd hi'n canu ar y stanciau.

**weiran bigog**

**weiran fochyn** Ffens o wifren rwyd sgwarog.

**weiran lefn** Gwifren gref ddibigau i wneud ffin dros dro.

**Mae hi fel 'rhiwal yma** Dywediad am stafell neu adeilad oer. Adeilad i gadw celfi a pheiriannau yw'r hoewal, yn enwedig y drol gynt. Mae'r hen adeilad cerrig yn cael ei ddisodli gan y sied fetal fawr erbyn hyn, sy'n fwy cyfleus at waith. (Nid i dderyn to a'r wennol a'r dylluan i nythu chwaith, er bod ambell un yn dechrau cyfarwyddo.)

**bydái** Beudái. Nid lluosog beudy yn unig yw beudái ond adeiladau fferm i gyd ac eithrio'r tŷ. 'Mae o allan yn y bydái yn r'wla'.

**\*staff tarw** Pastwn wrth ddolen yn nhrwyn tarw i'w arwain a'i ddal yn llonydd o hyd braich.

**sa' draw** Saf draw, yr hen enw ar y staff. Enw da yw hwn, gwell na'r un cyfoes. Fe'i defnyddir o hyd yn 'carreg sa' draw' (gw. adran O Gwmpas Gartref, atodiad Y To a'r Muriau).

**shefl-ffeiar** Rhaw gron i godi neu lwytho glo. Fel y soniwyd yn rhagair y llyfr, mae'n ddirgelwch pam na ddywedem rhaw dân, a bod yn well gennym Gymreigiad mor dila o S. *fireshovel*.

**gefa'l dân** I gydio mewn **colsyn** (ll. **cols,** S. *coals*) sef marwor.

**stiliwns** Tafol â sbring i'w godi yn eich llaw i ddal pwysau ynghrog ar fachyn odano. S. *stillion*, o *steel-iron*.

**clorian** Tafol wastad ar lawr.

**\*bach-és** (= **bach-S**) Bachyn haearn trwm ar ffurf S i grogi pwysau, a hefyd i fachu tinbren ceffyl i dynnu offer fel og neu ddragar.

**ling** Unrhyw ddolen haearn fach, ac un o ddolennau cadwyn. S. *link*.

**tacla' gwraig weddw** Offer anhwylus at y gwaith.

**Pryn hen, pryn eilwaith**

tacla' gwraig weddw

**tarmácio** Da yw oglau **tarmác** newydd ar lôn yn yr haf. S. *tarmacadam*.

**tryc llaeth** Mae'n ffasiwn Americanaidd yn yr iaith Saesneg i ddweud tryc am lorri, felly roedd Ifas y Tryc a ninnau o flaen yr oes am unwaith. Cerbyd bach oedd hwn i'w wthio ar ddwy neu bedair olwyn i gludo **cania' llaeth** trwm o'r beudy i'r lôn, a dod â rhai gweigion yn eu lle. Byddai hen olwynion tebol moto beic yn ddelfrydol i'r diben yma.

**fainc laeth** Llech neu goncrid ar ben clawdd y lôn i ddal y caniau ar gyfer y lorri, â grisiau i esgyn. Gwelir amryw o'r rhain yn segur ond yn solet yn eu lle o hyd. Hwn oedd yr enw cyffredin yn Llŷn ac Eifionydd ond gwyddom mai **stand laeth** a ddywed rhai.

141

**stelin** Dyna'r enw glywsom yn ardal Penmorfa, lle bu ewyrth a modryb inni'n byw am gyfnod ar ddyddyn Minffordd.

**lyrri laeth** Nain y **tancar**! Caiff y llaeth ei gario i ffatri laeth Rhydygwystl, Chwilog o hyd; daw yno o bob cwr o'r wlad bellach. Da bod y busnes ffyniannus menyn a chaws yn eiddo i'r ffermwyr, yr unig hufenfa gydweithredol ar ôl yn y wlad.

**tŷ gwair tair cowlas** Tas wair dan do yw cowlas, ond mae hefyd yn enw ar un o ddau neu dri o raniadau'r tŷ gwair ei hun. Tair cowlas sy'n safonol a hwylus.

**caetsh gwair** Stafell fechan i gadw gwair gerllaw'r beudy.

**côr** Llwybr hir o flaen pennau'r buchod yn y beudy i'w porthi.

**llithio** Rhoi llith, bwyd gwlyb i lo bach.

**'reil** Mae'r eil fel arfer yn golygu ychwanegiad ar hyd cefn adeilad fel y S. *lean-to*, i hwyluso porthi anifeiliaid. S. *aisle*.

**porthi** Bwydo'r anifeiliaid.

**s'beru** Swperu, rhoi tamaid i'r gwartheg cyn nos yn y gaeaf.

**Yn Tynllan mae cwrw llwyd**
**Sydd yn ddiod ac yn fwyd,**
**Minnau yfaf lond fy mol**
**Nes bydda' i'n troi fel olwyn trol**
Ac eithrio enwau rhannau'r olwyn aeth geirfa'r hen drol i ebargofiant yn ein hoes ni, wedi canrifoedd digyfnewid. Ceir llun da o'n math ni o drol a cheffyl gan Elis Gwyn yn *Y Casglwr*, Rhif 25, Pasg 1985 ynghyd â geirfa gan Rhys Roberts y saer, Hendre Bach, Rhosfawr. Cafwyd rhagor o

enwau yn y *Cydymaith Byd Amaeth*, Cyf. 4, t. 232–3, a llun da arall gan Gareth Maelor o drol ar ei sawdl (heb y carfannau o'r herwydd). Cystal i ni felly beidio ailadrodd yr holl dermau a gofiwn, ond ychwanegu rhyw ychydig:

    **⋆ar 'i sawdl** Trol wedi'i chodi i orffwys ar y **sodla'⋆** sef rhyw droedfedd estynedig wedi'i gorffen â haearn ym mhen ôl y ddau bren a redai o boptu i'r trwmbal neu'r gist.

    **⋆carfan**, ll. **carfanna'** Dwy ffrâm bren drom, un yn ymestyn dros ben blaen a'r llall o du ôl y drol i gario llwyth uwch; **ofar-garfan** oedd Rhys Hendre Bach yn ei galw. (Efallai bod GPC yn llithro drwy ddweud mai carfan yw un o'r ochrau sef yr ystyllod.)

    **⋆cortan / cortan drol** Wrth gario gwair byddai dwy raff fain yn crogi dan y garfan ôl yn barod i glymu'r llwyth ar y drol. Cyn dadlwytho, wedi datod y gortan câi ei chylchu'n daclus a'i chrogi yn ei lle ar gyfer y llwyth nesaf. Mae cortan gyda llaw yn hirach na'r darn byr o raff a elwir yn **cortyn**! (R.D.J.)

    **'styllan**, ll. **'styllod** Dwy ystyllen bren â dwy goes arnynt i fachu ar ochrau'r trwmbal ar gyfer llwyth uchel, yr un pryd â'r carfannau. Yr enw gan Elis Gwyn ar ôl Rhys oedd **wâst râcs**, enw o Lŷn (wastracs) sy'n ddiarth i ni.

    **sled** Car llusg pren trwm ar wadnau haearn i gludo cerrig rhy fawr i'r drol neu ar dir rhy anodd iddi. Ni chlywsom ei alw'n slêd fel a welir weithiau.

# O Gwmpas Gartref

**Ydi'r bos i mewn?** Mae bos yn enw cyfarwydd am ŵr y tŷ, o leiaf yn yr oes gyn-rhyddid-merched. (Methwn weld arwyddocâd yn y ffaith mai ystyr arall iddo yw crop iâr!) Fel i bawb o gyn-ddisgyblion yr Ysgol Ramadeg, y Bos i ni oedd R. E. Hughes (taid Angharad Tomos) ac wedyn ar ei ôl o E. R. Hughes, sy'n dal i fyw ym Mhwllheli.

Tybed ydi'r olaf yn cofio rhoi'r gansen am ei ddrygioni arferol i Twm Trefor, sef Geraint Jones (a ddaeth yn Fos ei hun wedyn)? Wedi 'laru ar waldio cledr ei law ag yntau'n how-chwibanu rhwng ei ddannedd, dyma Bos yn rhoi'r ffon i lawr. 'Y criadur, oes arnat ti ddim ofn dim, dywad?' meddai. 'Nag oes, syr,' atebodd Twm yn dalog, 'dim ond Duw – a dentist!'

**y giaffar** Fel bos, enw Saesneg, yn wahanol i'r gwas a'r forwyn!

**brathu'i ben drw' drws**

**brau fel baw teiliwr** Am ryw hen ddefnydd wedi breuo.

**Brysiwch yma eto** Gwahodd rhywun i alw drachefn yn eich cartref.

**galwch acw / galwch heibio**

**Peidiwch â bod yn ddiarth**

**cadw-mi-gei** Blwch cynilo arian.

**cadw dyletswydd** Darllen pennod o'r Beibl a gweddi, ar ôl brecwast.

144

**cer adra!** Ebwch o syndod wrth glywed newydd. Dro arall mae'n gerydd diamynedd fel **cer o 'ngolwg i / cer o'ma / dos o'ma.**

Sôn am adref, **aros adra** glywch chi yn amlach na pheidio yn hytrach nag **aros gartra.** Ond arferid gwahaniaethu rhwng y ddwy adferf: aros gartra a **mynd adra.** Ystyr cartref yw 'tref câr' sef trigfan perthnasau, teulu. Ond mae adref yn golygu rhywbeth tebyg i 'at dref', tua'r dref, fel yn llinell adnabyddus Ieuan Llawdden o'r bymthegfed ganrif, 'Teg edrych tuag adre'.

**clepian y drws fel tenant**

**coetsh gadair** Cadair olwyn i blentyn bach, S. *pushchair.*

**coetsh** Enw cerbyd baban a gafodd ei ddisodli gan enw Saesneg arall, *pram.*

**Cer allan i'r cowt, yli** Llecyn caled ger drws tŷ â mur cysgodol o'i amgylch yw'r cowt. Mae'n lle handi iawn i bob math o weithgareddau, o ddeor ffa i drwsio beic, a chadw'r plantos rhag mynd i wneud drygau. Yno y byddem yn bwydo'r cŵn a'r cathod hefyd, sy'n ein hatgoffa am y gath bach honno yn dringo'n ddiniwed i gafn bwyd y ci yn y cowt – ci defaid ffeind – a hwnnw'n troi arni a'i lladd yn gelain gorn, gan achosi môr o ddagrau. S. *court.*

**crysba's llia'n** Siaced waith ysgafn o gotwm.

**crysba's** Crysbais = siaced neu gôt fer i ddyn.

**Cudd dy lein o ŵydd y wlad** Cyngor Nain, meddai 'Nhad, i gadw materion y teulu iddo'i hun. Tebyg i'r dywediad S., *'washing your dirty linen in public'.*

**fel cwt ci** Tŷ bychan blêr.

**fel beudy** Tŷ budur. Nid yw hon yn gymhariaeth dda heddiw chwaith, a rheolau caeth yn peri i'r beudy fod bron yn ddigon glân i'w lyfu.

**fel cwt mochyn** Mae'r hen fochyn druan yn cael cam braidd. Gall fod yn greadur glân iawn, yn enwedig ei dwlc; cael ei *orfodi* y bydd i fyw yng nghanol ei faw. Yr un pryd, gall mochyn rhydd heb fodrwy yn ei drwyn dyrchu'r ddaear yn flêr ofnadwy.

**fel nyth c'loman** Mae hwn yn cynnwys y ddau gyflwr, blêr ac afiach, fel nyth drewllyd teulu'r golomen. Mae'n siŵr nad oes tai fel hyn yn Eifionydd heddiw!

**drwadd** Y gegin orau ar ffarm (stafell fyw bellach).

**gegin bach** Y gegin gefn.

**y llawr** Stafell fyw.

**llofft ora'** Ar gyfer pobl ddiarth.

**Dwmbwr dambar**
**I lawr yn y siambar**
Sŵn piso mewn pot.

**siambar** Stafell wely mewn bwthyn unllawr erstalwm.

**dyn diog** Enw diweddar ar y teclyn rheoli teledu a fideo o draw.

**diogyn** Math o gradell haearn gwastad i grasu bara ceirch o flaen tân yn amser Mam.

**'sgidia dal adar** Esgidiau gwadnau tew pan ddaethon nhw'n ffasiynol gyntaf, yn enwedig efo'r gwadn *crepe sole*.

**mul** Teclyn trithroed haearn i ddal esgid i'w thrwsio.

**siasbin** Tafod o gorn i lithro'r droed i esgid. S. *shoehorn*.

**ffedog fras** Barclod o sachliain bras.

**brat** Ffedog liain at waith y tŷ, neu un ledr at waith crydd ac ati.

**ffitio fel manag**

**\*gwehilion cwd** Enw chwareus ar y plentyn ieuengaf.

**bach y nyth** Enw mwy parchus, fel 'y cyw melyn olaf' mewn rhai ardaloedd

**y cywion wedi 'hedag** Y plant wedi prifio a gadael cartref (ehedeg).

**gwisgo 'dat y gwaltars\*** Defnyddio rhywbeth i'r eithaf, yn enwedig esgid. Gwald neu gwaldas y gelwir y lledr a gysyllta ran uchaf esgid i'r gwadn. S. *welt*.

**wedi 'i cha'l hi 'dat y gwaltars\*** Wedi cael sioc drwyddo.

**gwisgo tr'wsus llaes** Awr fawr hogyn gynt, cael gwared ar ei dr'wsus byr.

**côt laes** Y gôt hir a aeth yn **dopcot** erbyn heddiw.

**gwisgo'n dwll** Gwisgo dilledyn yn rhacs.

**Mae hi'n gyrtans rwan** Hynny yw, yn ddiwedd. Ymadrodd estron ond un a glywid o gwmpas y bwrdd snwcer yn neuadd y pentref.

**hangi's** Yr enw Saesneg arall yma fyddem ni'n ddefnyddio gynt am lenni ffenestr, sef S. *hangings*. Beth sy'n bod ar llenni, d'wedwch? Tebyg bod yr enwau Saesneg yn swnio'n grandiach pan ddaeth y ffasiwn

147

heibio gyntaf, ac maen nhw'n dal i ddod yn haws i'r tafod na llenni rywsut.

**honglad o dŷ** Clamp o dŷ mawr.

**fel blwch matsus / bocs matsus** Tŷ bychan iawn.

**fel cwt c'loman** Tŷ bychan eto.

**Cer i hwylio, mae'n hwyr** Paratoi i fynd allan gan wisgo dillad gorau.

**yn lich-dafl** Wedi'i luchio a'i daflu o'r neilltu. Gadael rhywbeth yn lich-dafl yw ei adael yn flêr o gwmpas y lle.

**llyfr negas** Llyfryn i gofnodi'r ddyled wythnosol yn siop y pentref. 'Cer i nôl negas 'nei di?' sef y *S. groceries* a mân nwyddau siop.

**bag negas** Bag siopa.

**hwrjwr** Siopwr sy'n dueddol o **hwrjo'i** nwyddau. S. *urge*.

**mat racs** Mat o ddarnau clos o wahanol ddefnyddiau yn hongian allan â'u bonion wedi eu gwnïo ar sach.

**mynd dan yr ordd** Ar ocsiwn.

**mynd i'r gwely fel iâr** Yn gynnar. Bydd iâr yn mynnu clwydo bron cyn iddi dywyllu, ac eisiau codi allan gyda'r wawr trannoeth, gan graffu'n ochelgar rhag peryglon. Anodd dyfalu beth yw'r holl frys!

**ciando / giando** 'Wel, mae'n bryd i mi fynd am y ciando yna'.

**y cae sgwâr** Enwau rhyfedd ar y gwely yw'r rhain i gyd.

**y lle sgwâr**

**mynd i glwydo** Mynd i'r gwely, fel aderyn yn clwydo.

**nodwydd sacha'** Nodwydd fawr â'i rhan flaen yn gam i wnïo sach.

**nodwydd sana'** Un ychydig llai.

**papur sychu fan'no** Papur tŷ bach! (K.R.)

**jeríw★** Y lle chwech neu'r tŷ bach. Enw lled ddiweddar, nad oes gennym syniad o ble y daeth.

**rhoid y simdda ar dân** Gwneud fflamau efo gwellt i fyny simdda tân glo i losgi'r huddyg', tua dwywaith y flwyddyn.

**enhuddo** Gorchuddio'r tân i'w gadw i fudlosgi dros nos. Daw o anhuddo ac y mae GPC yn beio'r hen William Owen (-Pughe) am ei lurgunio, ond dyna'r ynganiad sy'n gyfarwydd erioed i ni ar lafar.

**tân oer** Tân wedi'i osod yn barod ond heb ei danio. 'Well i ti 'neud tân oer yn parlwr, 'cofn i rywun alw.'

**slemp cath** Amrywiad o **slempan** sef trochiad o ddŵr ar eich gwyneb i how-ymolchi'n frysiog. (K.R.)

**celwrn** Padell ddŵr sinc fawr hirgron â dwy glust. Gair cyffredin i ni ond mae'n ddiarth iawn i rai, sy'n ei alw'n twb.

**desgil 'molchi** Dysgl ymolchi, cyn bod dŵr tap a sinc.

**Mi fydd hwn yn torri'r dŵr** Sylw gwreiddiol wrth olchi crys newydd, yn golygu y byddai'r dilledyn caled yn mynd â'r sebon i gyd. (D.J.)

**cwt golchi** Cwt golchi dillad yng nghefn y tŷ â thwb golchi a lle tân i ferwi'r dŵr.

**golchwr** Pren golchi â rhychau sinc neu wydr i rwbio baw o ddillad. S. *washboard*.

**haear' smwddio** Roedd digonedd o eiriau cynhenid Cymraeg ar gael yn golygu S. *smooth*, fel llyfn, ond Sais oedd y teclyn newydd cyfleus. Mae'r isod a glywir weithiau yn ddwywaith gwaeth!

    **hetar smwddio.** S. *heater*.

    **hors** Addasiad o'r S. *clotheshorse* am ffrâm bren yn sefyll neu'n crogi ar aelwyd i sychu dillad.

**troi'r tŷ â'i ben i lawr** Disgrifiad dynion o ryw addurno trwyadl, yn enwedig y cliriad blynyddol a'r Cymreigiad ofnadwy hwnnw, **sbring clinio.**

    **ada'n gŵydd** Roedd adain gŵydd ar ôl y Nadolig yn boblogaidd i dynnu llwch a gwe pry cop o gorneli a llefydd uchel, a gwelir ambell un o hyd. Bydd rhai'n gadael rhywfaint o we o gwmpas y tŷ er mwyn cael gwared â phryfetach – iawn os nad ydych yn poeni am bry' copyn yn y bath weithiau!

    **brwsh bras** Brws caled coes hir at waith allan.

    **brwsh llawr** Un meddal coes hir i sgubo'r tŷ.

    **brwsh sgwrio** Brws llaw caled. S. *scour*.

**yn wastad fel bwr'**

    **llwy fwr'** Llwy fawr i godi bwyd o'r ddesgil i'r plât, S. *table-spoon*.

    **ta'nu llian bwr'** Taenu'r lliain bwrdd ar gyfer pobl ddiarth.

        **ta'nu dillad** Ar wrych neu berth i sychu.

ta'nu gwellt glân Dan yr anifeiliaid yn y beudai.

## Y To a'r Muriau

*Dyma restr gyfleus er mwyn cofio rhai o enwau'r crefftwyr ar rannau adeilad:*

adan / adennydd Y ddwy ystyllen ar y talcen i lawr o'r brig i'r bargod.

bach walbant Y gofod trionglog rhwng y walbant â'r to, lle cyfleus i gadw ffisig anifeiliaid a mân offer mewn adeilad isel fel beudy neu gwt.

batan / batins Y preniau main 2″ x 1″ ar draws y to i hoelio'r llechi. S. *batten(s)*.

yn bochio Disgrifiad o hen fur adeilad (a thas wair ac ŷd hefyd) sy'n dechrau rhoi gan chwyddo allan fel boch. Clywir bolio am yr un peth.

*carrag sa' draw Enw da ar y garreg sy'n aml yn goleddfu allan o fôn cornel adeilad neu wal gerrig, i lithro olwyn cerbyd draw rhag i'r both daro'r gornel.

cefnllath Y ddau goedyn mawr i lawr o'r crib i'r walbant i gynnal to.

cilbost Y postyn sy'n dal pwysau drws (a giât).

coedyn crib Pren tua 7″ x 1″ ar ei ymyl ar hyd crib y to, i hoelio pen y sbarras iddo a chynnal y rhes uchaf un o lechi.

cwpwl Y triongl o goed mawr sy'n cynnal y to, wedi'i ffurfio o'r ddau gefnllath a'r trawst.

distyn Y distiau yw'r preniau llai na'r trawstiau i gynnal llawr llofft, a'r nenfwd oddi tano os oes un. S. *joist*.

151

**dôr / dora'** Deuddrws cyfochrog tal ar feudái, garej neu stordy. (Ac unrhyw ddrws weithiau, fel dôr bwthyn cerdd adnabyddus Cynan i Aberdaron.) Fe'i clywir hefyd am hen ddrws a osodir dros dro i gau bwlch neu gorlannu a ballu, ac am ddrysau mawr fel **dora' llanw** harbwr Pwllheli neu Borthmadog.

**drws deuddarn** Drws wedi'i lifio ar ei draws ar fwthyn, ysgubor neu feudy er mwyn agor yr hanner uchaf, y **rhagddôr** i gael gwynt.

**landar** Cafn dan y bargod i gario dŵr glaw. S. *lander* (*guttering*).

**pig deryn** Toriad yn y sbyrsyn i ffitio dros y dulath neu'r walblad.

**sbyrsyn, ll. sbarras** Y preniau 3″ x 2″ i lawr y to o'r brig i'r walbant i ddal y batins o dan y llechi. GPC: hen fenthyciad o'r S. *sparres* (wedyn *rafters*).

**taflod** Llofft fechan ag ysgol i ddringo iddi ar ran o adeilad, un o'r tai allan neu hen fwthyn.

**tal maen** Rhan uchaf trionglog talcen adeilad, o'r crib at y bondo.

**trawst** Y coedyn mawr o un walbant i'r llall i gynnal y pwysau dan ddau ben y to, ac weithiau dan ei ganol.

**tulath** Y coedyn mawr ar draws ochr y to i ddal y sbarras rhag pantio.

**walblad** Y pren ar hyd gwaelod y to rhwng y sbarras a'r mur. S. *wall-plate*.

**walbant** Pen y mur y mae bargod y to yn gorffwys arno.

# COED Y TO

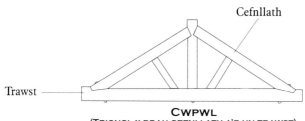

Cefnllath

Trawst

**CWPWL**
**(TRIONGL Y DDAU GEFNLLATH A'R UN TRAWST)**

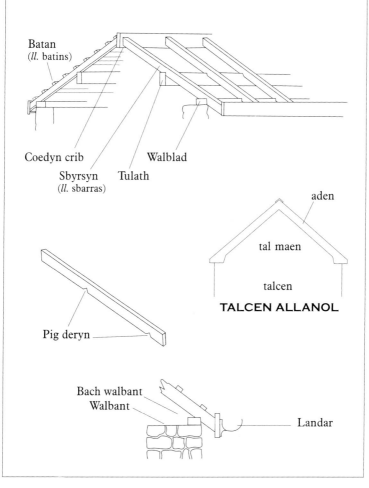

Batan
(*ll.* batins)

Coedyn crib

Sbyrsyn
(*ll.* sbarras)

Tulath

Walblad

aden

tal maen

talcen

**TALCEN ALLANOL**

Pig deryn

Bach walbant
Walbant

Landar

# Bwyd a Diod

## Hen gynhwysion

Rhaid i ni gyfaddef ein bod yn ddigon hen i gofio bwyta'r rhain ac ysywaeth i gofio coginio'r rhan fwyaf, yn oes yr arth a'r blaidd! Bwydydd syml y werin bobl oedden nhw sy'n ddiarth i'r rhan fwyaf ohonom ers dwy genhedlaeth a mwy. Eto, mae syniadau'r oes am faeth yn newid ac erbyn hyn maen nhw'n dweud bod yr hen brydau di-nod o laeth, bara a bara ceirch yn llawn o ddanteithion Groeg a Lladin fel carbohydradau, fitaminau, protinau a ffeibrau, sy'n dda iawn i chi!

**bara llaeth** Powliad o fara a llaeth enwyn wedi'i dwymo i frecwast neu swper.

**bara llefrith** Bara â llefrith poeth arno, i frecwast fel arfer, efo pinsiad o halen a/neu siwgwr.

**bara te** Dyma sut i wneud y prydyn sydyn a digon blasus yma: bara gwyn mewn powlen, tipyn o siwgwr, a thywallt te gwan poeth arno, yna ychydig lefrith neu'n well byth hufen ar ei ben.

**br'was** Brywes, haen o fara gwyn mewn powlen, haen arall o fara ceirch, a photes yn boeth ar ei ben, i swper.

**â'i fys ym mr'was pawb** Un busneslyd, wrth gwrs.

**g'neud cyfla'th** Y ddefod gyffrous gynt adeg y Nadolig a'r Calan o wneud taffi – aflesol iawn, yn cynnwys llwyth o fenyn a pheth dychryn o siwgwr.

**\*taffi cartra** Gwneud cyfla'th yw enw'r ddefod, ond wedi'i wneud fe'i galwem yn daffi cartra, sef un o'r ddau fath ohono:

**\*taffi du** Taffi cartra o driog du.

**\*taffi melyn** Taffi cartra efo un ai mêl neu driog mêl (S. *syrup*).

**dail poethion** Mae danadl poethion yn flasus wedi eu ffrïo neu mewn salad. Maent yn well o'u torri'n ifanc, ac yn pigo llai!

**diod dragwyddol** Math o win parhaol; cadw'r gwaddod bob tro i wneud y gwin nesaf, gan ychwanegu sunsur a siwgwr. Bydd yn crwydro felly o un teulu i'r llall.

**glasdwr** Glasddwr, diod gweithwyr yn y cynhaeaf. Yn wahanol i'r glasdwr sy'n feddyginiaeth at yr annwyd (gyda dŵr berwedig – gw. adran Iechyd Pobl), diod cynhaeaf oedd llaeth enwyn â dŵr oer i'w ysgafnu a dyrnaid o flawd ceirch ynddo.

**grual** Peilliad (blawd plaen) wedi'i goginio mewn llefrith, i frecwast. S. *white sauce*.

**gwin te** Gwagio gweddill y te o'r tebot bob dydd am rai diwrnodiau i badell bridd nes bydd yn dri chwarter llawn. Rhoi tôst ar yr wyneb a burum ar y tôst a'i adael i weithio am rai diwrnodiau eto, yna'i botelu. Byddai Elisabeth Griffiths, Penygongl, Llangwnadl yn ei wneud ac 'mi oedd ufflwn o gic yn'o fo!'. (L.A.R., ei nith)

**llymru** Dŵr a gwaddod blawd ceirch a fu'n wlych am ryw wythnos, a'i goginio fel uwd, yna llefrith poeth arno. Swper ysgafn i'r dynion adeg cynhaeaf oedd hwn cyn ein hamser ni, er ein bod ninnau'n cofio'i gael weithiau.

**maidd\*** Cynhesu llaeth cyntaf buwch wedi dod â llo a'i roi ar fara gwyn. Yr ail odriad yw'r gorau, neu'r trydydd, am nad yw mor dew a gludiog â'r godriad cyntaf. Bydd gan ambell fuwch laeth newydd tew fel *syrup*, ac ni fyddai'r ffatri laeth eisiau llefrith tan ryw dridiau wedi geni llo. (H.E.J.)

**menyn melys** Saws i'w roi ar bwdin 'Dolig. Gwneud grual a'i guro gyda menyn a siwgwr. S. *white sauce.*

**mwtrin** Berwi tatws a llysiau ar wahân a'u mwtro sef eu cymysgu efo rom bach o fenyn. Mae GPC yn awgrymu ei fod yn hannu o'r S. tafodieithol *muttering*, sy'n debycach na *buttering* fe ddichon.

**mwtrin ffa**
**mwtrin moron**
**mwtrin pys**
**mwtrin swêj** Stwnsh rwdan glywir amlaf am hwn ym Mhwllheli a Llŷn.

**picws mali** Bara ceirch wedi'i falu, tywallt llaeth poeth arno ac yna ychydig o lefrith oer (i swper).

**posal** Posel, llaeth enwyn â llefrith wedi'i ferwi ar ei ben.

**potas** Potes, y dŵr a ddefnyddiwyd i ferwi cig neu lysiau, gan fwydo bara gwyn ynddo, fel y S. *broth.*

**pwdin bara** Bara a chrystiau, siwgwr, menyn a syltanas wedi eu mwydo mewn llefrith, curo ŵy i mewn, a 'chydig o nytmeg ar ei ben, a'i grasu yn y popty.

**pwdin berwi** Pwdin wedi'i ferwi'n araf am chwech i wyth awr, ond ei roi mewn powlen a honno wedyn mewn sosban â llai na'i hanner o ddŵr, gan ofalu nad yw'r sosban yn mynd yn sych o ddŵr – rhaid dal i ychwanegu dŵr o hyd. Byddai'r cynhwysion yn amrywio o le i le, ond pwdin 'Dolig fyddai hwn yn tŷ ni ran amlaf.

**pwdin clwt** Pwdin 'Dolig eto wedi'i lapio mewn clwt a'i glymu'n dynn, a'i roi i ferwi mewn sosbenaid o ddŵr am oriau fel pwdin berwi.

**g'neud pric pwdin ohoni** Neu **'i g'neud hi'n bric pwdin.** Un ai gwneud rhywun yn destun sbort, neu rywun yn gorfod derbyn y bai am ryw wendid. Cyfeiriad at y pric oedd gynt yn cynnal y pwdin clwt yn y sosban, meddan' nhw.

**pwdin llo bach** Paratoi fel maidd, ond ei goginio yn y popty, â siwgwr ynddo. Mae ei flas yn debyg i gwstard ŵy.

**pwdin siwat** Roedd hwn yn boblogaidd acw. Cymysgedd o flawd a siwat a dŵr i wneud crwst, taenu'r crwst ar ochr y bowlen a'i llenwi efo afalau, a rhoi cylch o'r crwst yn gaead arni, a berwi mewn sosbenaid o ddŵr.

**sucan gwyn** Fel llymru ond yn boeth efo bara gwyn a siwgwr, i swper.

**tatws drwy'u crwyn** Wedi eu berwi yn eu crwyn (a'u hanfarwoli ar gân gan Hogia'r Wyddfa).

**tatws llaeth** Yr hen ffefryn, tatws wedi eu berwi i ginio yn boeth mewn powliad o laeth enwyn ag ychydig o halen a dyrnaid o **sloj** (S. *shallots*) wrth law, m-m!

**tatws pum munud** Wedi eu tafellu a'u ffrïo efo cig moch a nionyn, yna dŵr i wneud gwlybwr, a mud-ferwi am dipyn o amser nes iddo d'wchu.

**tatws yn tân** Wedi eu rhostio yn eu crwyn yn y twll lludw, fel y bydd plant yn eu rhoi yn y tân ar noson Gei Ffôcs, a gwell blas arnyn nhw na rhai mewn **tun rhostio** yn y stôf. Pan gawsant doriad trydan un noson dro'n ôl, fe wnaeth tafarn enwog y Ring, Llanfrothen roi nionod mawr yn y tân a'u rhannu i'r cwsmeriaid efo pupur a halen.

**torth de** neu **teisan te oer** Torth gyraints neu fara brith. Gan Kate Lloyd, Ty'n Rhos Penarth y cawsom y rysâit tua diwedd y pumdegau.

- 1 cwpanaid o siwgwr
- 1 cwpanaid o gyraints
- 1 cwpanaid o de
- $^1/_4$ pwys margarîn

Eu toddi mewn sosban, ond peidio'u berwi. Wedi i'r gymysgedd oeri, curo i mewn:

- $^1/_2$ llond llwy de o soda pobi (*bicarb.*)
- 2 lond llwy de o finegr
- pinsiad o halen
- 2 gwpanaid o flawd codi

Crasu mewn tun torth, ar wres o tua 300°F.

**torth geirch** Nid torth ond tafell gron gyfan o fara ceirch ar radell. Gellir bwyta'r dafell fel bisged, neu ei chwalu â rholbren ar gyfer rhai o'r bwydydd powlen uchod.

**torth 'Werddon** Bara brith meddal, blasus. Cafwyd y rysâit tua'r chwedegau gan Lizzie Grace Rogers, Brynhafod. *Irish Loaf* oedd hi'n ei alw a daeth y cyfieithiad yn enw cyfarwydd i'n teulu ninnau.

- *pwys o ffrwythau cymysg*
- *6 owns o siwgwr*
- *cwpanaid fawr o de*

Eu gadael yn wlych dros nos, neu'n hirach. Wedyn curo i mewn:

- *1 ŵy mawr*
- *marmaled – llond llwy fwrdd*
- *sbeis cymysg – llond llwy de*
- *blawd codi – 1 pwys (neu lai, os yw'n edrych yn rhy sych)*

Crasu mewn popty araf tua 250°F am ryw awr i awr a hanner (yn dibynnu ar ddyfnder y tun). Powlen bwdin yw'r gorau – un o ddefnydd ysgafn fel dur distaen neu aliminiwm – bydd iddi lai o grystyn felly nag mewn tun torth. Cofio sleisio'n denau, a'u taenu efo menyn.

**Uwd poeth a llefrith oer, neu uwd oer a llefrith poeth?**
Dyna'r dewis yn tŷ ni – yr ail pan fyddid wedi darparu
sosbennaid o uwd ymlaen llaw, i setio fel jeli.

## Amrywiol

**Aur y bora, arian y pnawn, plwm y nos** Cyngor pryd i fwyta
afal.

**afal gaea' / 'fala' gaea'** Afal coginio.

**afal Awst** Afal melys mawr gwyrdd golau. Roedd un
goeden o hon acw.

**bara saim** Bara wedi'i led ffrio.

**Mae blas ar beth, does dim ar ddim** Ateb i rywun yn cwyno
bod ei bryd bwyd yn fychan.

**Mae blas mwy arno fo** Ffordd arall o ofyn am ragor.

**(Ar ôl yfed syched sydd)** Cynghanedd saim!

**(Melys, moes mwy)**

**blawd yn mynd yn euod** Hen flawd yn bydredd mân gan fath
o gynrhon, euod.

**wedi egru** Finegr yn suro neu gwrw yn mynd yn fflat.
Bechod colli gafael ar iaith dda fel hyn.

**br'was!** Nid y bwyd ond defnydd hollol wahanol ohono, sef
yn ebwch dilornus i'w alw ar siaradwr cyhoeddus. Fe'i clywid
yn hyglyw o gefn neuadd ar adeg etholiad weithiau. Fel y
S. *rhubarb*.

**lol botas**

**b'yta bwyd y plant** William Davies, Yr Erw yn adrodd ei hanes yn gweithio yn Rhedynog Isaf gynt. Ar gychwyn adref y noson gyntaf dyma fo'n dweud, 'Wel, dwi'n mynd rwan.' 'Dos i'r tŷ i nôl swpar,' meddai Owen Jones. Braidd yn anfodlon oedd Wil ond i'r tŷ y bu raid iddo fynd, wedi setlo'r peth fel hyn: 'Ei di ddim adra i f'yta bwyd y plant – gei di fynd wedyn.' (H.E.J.)

Bu Owen Jones yn y fyddin am tua dwy flynedd a hanner adeg y Rhyfel Mawr er na fu raid iddo fynd i'r gad. (Bu o flaen tribiwnlys ond i ddim diben gan nad oedd Bryn Gwynt yn lle digon mawr i gadw dau fab gartref.) Yn ôl ei fab yntau, mae'n debyg i hyn fod yn help iddo gael tenantiaeth Rhedynog pan oedd eisiau priodi a chael ffarm. Roedd 39 yn ymgeisio amdani a fo oedd yr unig un oedd wedi bod yn y rhyfel. 'Mi oedd hynny'n beth mawr gen stâd Broomhall, a nhwtha gimint am y militari.' (I.J.)

**B'yta, b'yta lond dy fol**
**Nes byddi di'n troi fel olwyn trol**

> **B'yta fel tasat ti adra** Weithiau ychwanegir: **A wa'th gen i tasat ti adra!**

> **Mae o'n b'yta fel ceffyl** Disgrifiad o fwytawr go dda.

> **yn claddu** Bwyta'n awchus eto.

> **yn f'ytéig** Am rywun llwglyd yn bwyta o hyd. 'Bobol, mae'r plant 'ma'n f'ytéig heddiw.'

**b'yta'r crystyn i ti ga'l gwallt cyrliog** Anogaeth i blentyn fwyta crystyn torth.

**cacan blât / teisan blât** Teisen ffrwythau fel y S. *tart*, ac efallai bod 'tarten' yn fwy cyfarwydd drwy'r wlad.

> **cacan gri** Math o sgon wedi'i chrasu ar radell, sef y *Welsh cake* fondigrybwyll.

**crwst** Nid crystyn torth ond yr un peth â'r S. *pastry.*

**calan halan** Ni welir y blocyn swmpus o halen ar werth yn y siopau bellach, ond fel popeth wedi'i becynnu'n fach ac yn wastraffus.

**sartar★** Llestr halen. Hwn a ddefnyddiwn ni ond amrywiad o'r nesaf ydyw. S. *salt-cellar.*

**sartal★** Ffurf arall a glywsom. Mae GPC yn sôn am yr hen enw 'salter' ond yma mae'r cytseiniaid wedi eu cyfnewid yn y dull Cymraeg. (E.T.)

**Mae o fel cath am lefrith** Yn yfed cwrw ar bob cyfle.

**ar y gadarn** Mynd allan i yfed cwrw, y ddiod gadarn. 'Lle mae o heno?' – 'O, ar y gadarn.'

**ca'l llwyth** Yfed llawer o gwrw.

**tipyn o slotiwr** Un sy'n mynd allan i yfed yn aml.

**Mae o wedi cipio** Wedi lled-losgi – fel crystyn torth neu ymyl cig moch yn duo, neu bwdin llefrith wedi cychwyn glynu yng ngwaelod y sosban.

**cym'yd llowc** Yn wahanol i'r ferf llowcio sy'n cyfeirio at fwyd, mae'r enw yn golygu cymryd dracht: 'Mae'r ddiod 'ma'n dda – gym'i di lowc?' Mae'r gair yn tarddu o llwnc ond nid yw'n eglur pa fodd.

**★darn banad** Stori gan ewyrth i ni amdano'n gweini ar ffarm leol yn ifanc. Roedd yno was arall a hwnnw fel yntau yn dipyn o dderyn. Un groesawgar iawn oedd y wraig, yn rhoi tendars wrth y bwrdd bwyd yn ôl yr hen drefn. Ond nid dyna'r unig reswm y byddai'r ddau yn edrych ymlaen at amser te ar ei haelwyd hi. Pan fyddai'r hogiau eisoes wedi cael dwy baned ella, byddent yn gwneud ati i ofyn am ddarn banad arall, sef hanner cwpaned. Nid oedd yr hen wraig yn medru dweud 'll' yn glir iawn, ac yn lle 'llond' dyma fyddai hi'n ddweud bob tro: 'Wa'th i chi gym'yd 'i ch★★★ hi!'

**Top 'ta gwaelod?** Wrth dywallt te, dyma'r ateb arferol i rywun sy'n gofyn am hanner cwpaned!

**D'eud we!** Dyma ddywedwn wrth dywallt diod i rywun, er mwyn cael gwybod faint fydd yn ddigon. O'r gorchymyn i geffyl i stopio y daw hwn, wrth reswm.

**Digon dyn, llond bol mochyn** Anogaeth i beidio bwyta gormod (caiff mochyn fwy na digon, i'w besgi). Dywedai William Jones, Bryn Gwynt mai'r modd i fyw'n iach oedd gorffen bwyta bob amser *cyn* cael digon, peth go anodd i neb ei wneud!

**caffio b'yta** Crafangu bwyd i'r geg yn aflednais gyda'r dwylo; cyfeiriad at y fforch lusgo fachog, caff (gw. adran Ffarmio a Garddio).

**y ceubal** Un gorfwyteig. 'Mae'r ceubal wedi b'yta'r gacan i gyd.' Dywedwn ceubal am y bol; math o gwch oedd ei ystyr wreiddiol.

**hen geubal** Dyn glwth.

**lleibio** Yfed yn ddi-stop fel ci. 'Oes raid i ti leibio'r te fel'a?'

**llowcio** Traflyncu bwyd yn sydyn.

**sgylffio★** Llyncu bwyd yn awchus. Mae'n bosib bod y ffurf yma o'r ferf, fel **sglaffio,** yn dod o'r un gwreiddyn â cwlff am ddarn hael o fwyd, gyda'r hen elfen ferfol 'ys' yn golygu 'y sydd'. Yr un mor debygol yw bod y ddau yn tarddu o ysglyfio (o ysglyfaeth).

**disgyn fel huddyg' i botas**

**duor pys / duor ffa** Eu deor nhw ddywedir, nid eu hagor.

**plicio tatws** Tynnu'r croen, wrth gwrs, a'r un fath â ffrwyth fel afal ac oren. S. *pluck*.

**tysan** Taten unigol. Tatws yw'r lluosog yr un fath.

**Dwi wedi dwad eto, i 'neud collad i chi** Dyna fyddai un a fyddai'n dod acw yn arfer ddweud wrth eistedd wrth y bwrdd bwyd.

**Mae hi'n dyddyn llwgfa yma** Dywediad ysgafn pan fo'r gegin braidd yn brin o fwyd, ag angen 'nôl negas' i lenwi'r cypyrddau. Tebyg bod hwn yn mynegi profiad rhyw weision a morynion gynt.

**Dyro glec iddi** H.y. agora'r botel, i rannu gwirod neu win.

**Fel'a mae pob bwyd yn ca'l 'i f'yta** Pawb â'i ffordd ei hun.

**(Pawb at y peth y bo)**

**g'lybwr ar 'i ben o** Unrhyw wlybwr a roir ar fwyd, fel potes neu grefi.

**Rwyt ti'n gweld gwaelod y bwcad drwyddo fo** Llaeth tenau gan ryw fuwch. (J.J.)

**Mae 'ngheg i'n sych fel nyth cath** Pan fyddwch eisiau diod yn arw.

**yn sych fel cesa'l cath**

**Mae hi wedi mynd yn hirbryd arnon ni** Gair da am amser hir rhwng dau bryd bwyd.

**(Hirbryd wna fawrbryd a mawrbryd wna fawr gywilydd)**
Hynny yw, gormod oedi cyn pryd bwyd yn achosi bwyta
gormod, a chanlyniadau hynny!

**Mae hwn wedi gweld plisman** Sylw am de gwan. Y nesaf yr
un fath.

**Mae hwn wedi dychryn**

**\*jou o fferis** Daw'r enw ll. fferins am felysion o'r S. *fairings*,
a diau mai o'r ffair y daeth yr enw sawl cenhedlaeth yn ôl.
Clywir yr unigol 'Ga'i fferan?' weithiau, ond yn amlach: 'Oes
gen' ti jou o fferis?' neu 'Gym'i di jou?' S. *chew*.

**da-da**

**petha' da**

**jiw-jiws\*** Y melysion a elwir yn S. *fruit pastilles*, eto'n sicr
o'r S. *chew*.

**jou o faco** Cnoead o faco.

**I lawr y lôn goch â fo** Wrth gymell plentyn bach i fwyta. Y
lôn goch yw'r corn gwddw.

**Dowch, c'r'aeddwch ato fo** Gwahoddiad i estyn at y
bwyd.

**llaeth cadw** Adeg gwneud menyn, y drefn gynt oedd
**separetio** – sef tynnu'r hufen o'r llefrith drwy'r peiriant
S. *separator* – yn syth ar ôl godro, fore a nos. Câi'r hufen ei
gadw fesul tipyn bob dydd yn y **pot llaeth cadw** at ei gorddi.
Byddai'r llaeth gwan oedd yn weddill, sef y **sgim,** yn cael ei
roi i'r moch, nid mewn potel top-glas!

**corddi** Rhoi'r llaeth cadw sur yn y fuddai a'i droi am o
leiaf hanner awr i dynnu'r menyn ohono. Os oedd yna
blant o gwmpas, nhw a gâi'r job ddibendraw o droi'r

fudda'. Ceir mwy nag un math; yr un arferol ar ffermydd oedd y gasgen bren fawr ar ffrâm gref, â handlan yn ei hochr i'w throi (S. *end-over-end churn*). Mae'r hen fuddai yn dal yn boblogaidd – mewn arwerthiant creiriau.

**llaeth drwyddo** Llaeth a gedwir yn gyflawn o bwrs y fuwch, eto mewn pot llaeth, a'i suro cyn corddi.

**llaeth enwyn** A geir yn weddill o'r corddi, heb y menyn. Tipyn o ffefryn yn yr hafau gynt, ac fe'i gwelir yn rhai o'r siopau o hyd. Nid pawb sy'n hoffi ei surni chwaith; **llaeth gwenwyn** y mae plant un ohonom yn ei alw.

> **gogor llaeth enwyn** Un crwn mân i ogrwn menyn o'r llaeth enwyn wedi corddi.

> **pot llaeth** Pot pridd â llechen gron yn gaead arno i gadw'r llaeth enwyn.

**llestri corddi**

**llestri menyn**

> **bocs** Llestr pren y mae'r printan yn ffitio iddo i argraffu'r menyn.

> **\*cwpan dena'** Nid cwpan fel y cyfryw ond soser bren fain tua saith modfedd ar draws, i **drin menyn**.

> **noe** Dysgl bren lydan i drin menyn ynddi. Enw diddorol ar fferm leol yw Gwag-y-noe (Tyddyn Cae Gwag y Noe gynt, yn ôl *Y Ffynnon*).

> **printan** Stamp pren i lunio **printan o fenyn** sef pwys o fenyn â delw arno fel llun buwch, dail derw neu frig yd.

**llnau'r meinsiar yn lân** Clirio plât bwyd i gyd – delwedd o'r preseb. S. *manger*.

*Cyfran dda o'r gweithlu o 150 yn y ffatri laeth lewyrchus ar lan afon Erch (sef ffin Llŷn ac Eifionydd), wedi ymgynnull i dynnu llun ar gyfer y llyfr hwn, Gwanwyn 2004.*

(*Llun: Dewi Wyn a Hufenfa De Arfon Cyf.*)

*Un o lorïau'r Ffatri Laeth gydweithredol, Rhydygwystl yn y 50au, a fu'n hel caniau llaeth aelodau Llŷn ac Eifionydd (gw. 'tryc llaeth', O Gwmpas y Lle).*
*Llun: Hufenfa De Arfon Cyf.*

*Tancer gyfoes ar arfordir Pen Llŷn, â baner gyfarwydd gyrwyr y ffatri laeth Gymreigaidd, yr unig un drwy'r wlad a ddeil yn eiddo i'r ffermwyr.*
*Llun: Dewi Wyn a Hufenfa De Arfon Cyf.*

**codi'r meinsiar** Cynilo bwyd drwy roi llai rhag ei wastraffu.

**Mae'n llygad i'n fwy na 'mol i** Wedi cymryd gormod o fwyd ar y plât.

**yn methu chw'thu** Wedi bwyta gormod.

**g'neud siwrwd** Yn y gegin, y siwrwd yw afal neu riwbob wedi'i falu'n fân at deisen neu bwdin.

**malu'n siwrwd** Am lestr, gwydr neu unrhyw beth caled yn torri'n chwilfriw.

Mae hynny'n ein hatgoffa mor ddarbodus oedd ein rhieni yn gorfod bod ar dyddyn bach erstalwm. Os byddai llestr wedi torri, byddem yn cael job gan 'Nhad wedyn i'w falu'n fân, fân efo morthwyl bychan ar ben wal y ffolt moch, gan ofalu cael sach neu rywbeth i eistedd arno. Roedd llwch y llestr yn cael ei roi'n grud i'r ieir, i galedu plisg yr wyau. (H.E.J.)

**mawa'd,** ll. **maweidia'\*** Enw ar lond dwy law ynghyd o datws fel mesur i'w rhoi mewn sosban, sef dogn un person. Nis defnyddiwn yn ferf, fel maweidio a geir yn GPC.

**Mi 'nawd y bawd o flaen y gyllall** Hynny yw, twt, bwyta fo efo dy fysedd!

**Cwilia, cofn iddo fo neidio** Rhybudd nain Wil i beidio rhoi dŵr oer mewn tecell poeth rhag iddo gracio. Onid yw neidio yn ddisgrifiad da o'r haearn yn dryllio? (Cwilia fyddai hi'n ddweud am gwylia, tendia.) (W.S.J.)

**angar** Fel 'an-gar' yr yngenir ager o decell.

**berwi'n grychias** Cadw i ferwi ar wres llawn.

**mud-ferwi** Croes i hynny. S. *simmer.*

**Mae Morgan yn canu** Y tecell yn berwi.

**mynd am foliad** Mynd am bryd iawn o fwyd mewn caffi neu siop tsips.

**mynd am sgram** Gwledd o fwyd arbennig, e.e. mewn tŷ bwyta.

**sgramio** Llyncu bwyd o'r fath yn awchus, fel mewn te parti.

**Os gwelwch chi'n dda ga'i grempog?**
**Mae 'ngheg i'n grimp am grempog;**
**Mae Mam yn rhy dlawd i brynu blawd**
**A 'Nhad yn rhy ddiog i weithio**
Rhigwm i gardota am gynhwysion i wneud crempog. Nid ydym yn cofio arferiad o'r fath, ond deil yn boblogaidd i wneud crempog ar Ddydd Mawrth Ynyd. Wrth fynd adref o'r ysgol fach erstalwm byddai rhai o ferched y pentref yn aros yn eu drysau i rannu platiad o grempogau i ni. Gwell oedd peidio bod yn farus neu mi fyddech yn methu â chwythu yn claddu'r holl grempogau gartref wedyn!

Trannoeth yw Dydd Mercher y Lludw, sef dydd cyntaf ympryd eglwysig y Grawys sy'n para tan y Pasg. Mae hynny'n ddeugain niwrnod heb gyfrif y Suliau (nad ydynt yn ddyddiau ympryd).

**torth beilliad** Torth o fara o flawd gwyn sef **torth wen**, yn wahanol i **dorth haidd** neu **dorth wenith**.

**peilliad** Blawd gwyn plaen.

**padall d'lino** Padell bridd i dylino toes.

**Penwaig, penwaig Nefyn!**
**Cefna' fel ffarmwrs,**
**Bolia' fel tafarnwrs!**
Galwad un a ddôi o gwmpas y pentrefi yn yr haf i werthu penwaig, na wyddom pwy ydoedd.

**pry' wedi chw'thu arno fo** Pry' wedi dodwy ar gig. Cyn dyfodiad yr oergell, yr unig ddiogelwch rhag cynrhoni oedd cadw'r cig mewn cwpwrdd, wedi'i lapio mewn lliain main.

**cynthron** Enw ar gynrhon gan rai a ddaw o froydd eraill e.e. Meirionnydd.

**pry' glas** Pry' mwy na'r pry' tŷ arferol, sy'n dodwy ar gig, yn enwedig allan. S. *bluebottle*.

**pry' chw'thu** Enw arall ar y pry' glas.

**pryfedu** Ambell i oen neu ddafad yn cynrhoni wedi i'r pry' chwythu fod o gwmpas.

**pwdin gwaed** Nid pwdin fel y cyfryw ond S. *black pudding*.

**pys slwtsh** Pys wedi eu sychu, i'w rhoi'n wlych dros nos. Trannoeth, eu berwi'n drwch yn ara' deg – dim gormod o wres rhag iddyn nhw fwrw'u crwyn. Mae tabled fach yn cynnwys S. *bi-carb* yn cyflymu'r coginio. S. *mushy peas*.

**sbrianu bwyd** Sborioni (o sborion neu sbarion) sef gwastraffu bwyd, yn enwedig gan blant wrth y bwrdd bwyd. Dyna ddywedai 'Nhad hefyd wrth borthi buwch yn y beudy: 'Paid â rhoid gormod iddi, ne' mi sbrianith o.'

**Maen nhw'n sitrach** Yn y gegin, am afal neu dysan wedi pydru o'u cadw at y gaeaf.

**gwasgu'n seitan** Rhywbeth tebyg, nad yw GPC yn egluro'i darddiad ond hwyrach mai cyfeiriad ydyw at S. *sheet / sheeting*.

**gwasgu'n sitrach** Gwasgu unrhyw beth yn chwalfa gwastad.

**slwtsh** Ceir dau ystyr ehangach na phys slwtsh yn unig: (1) Unrhyw beth organig fel llysiau, ffrwyth wedi pydru.

(2) Lleithder mwdlyd dan draed – 'Roedd hi'n un slwtsh dan draed yng ngwaelod yr ardd'.

**siwgwr coch** Yn hytrach na siwgwr brown.

**\*sôs du** Sôs brown.

**triog mêl** Triog melyn. **Triog du** ydi'r llall.

**Swpar ysgafn, gwely glân**

**tama'd i aros pryd** Byrbryd dros dro, yr un peth â'r S *snack*.

**Torra fo mor dena' nes gweli di dy nain drwyddo fo** Am dafell o gig neu fara. (K.R.)

**ac yn ôl** Ateb gweithiwr wrth dorri brechdan iddo: 'Ar hyd y dorth, Emrys?' – 'Ia, ag yn ôl.' (J.E.J.)

**tynnu'r triblwns\*** Y rhannau bwytadwy o dynnir o aderyn wrth ei drin sef yr iau, crombil a'r galon. Eu berwi'n araf i wneud potes (S. *stock*) ar gyfer y grefi.

**jiblwngs\*** Dyna ddywed rhai. S. *giblets*.

**Yfwch un drosta i** Cellwair wrth rywun yn mynd ar wyliau, yn sôn am beint neu lasiad.

**codi bys bach** Yfed mewn tafarn. 'Wyt ti am ddwad i godi bys bach?'

**codi penelin**

**Ymestyn, mae'n dwym wy'sti,**
**Eitha tew yw'n llaeth i ti**
'Nhad wnaeth stopio'r car ryw haf poeth gynt yng ngheg lôn Betws Fawr lle roedd ffynnon neu ffrwd oer, a dangos inni bennill ar lechen gan Willie Pierce yn ein gwâdd i gymryd diod o'r piser neu bot o laeth enwyn oddi tani. Aeth y geiriau

yn angof nes digwydd taro ar y cyfarwydd ei hun, y diweddar Guto Roberts, Rhoslan yn Nhyddewi efo Marian, a'i holi tybed oedd o'n cofio'r peth. Ocdd tad, roedd Guto yn ei gofio'n iawn – wedi dros ddeugain mlynedd! Y cwpled yna ydoedd, ac nid llaeth enwyn oedd yn y pot, medda fo, ond llefrith.

# Iechyd Pobl

## Hen feddyginiaethau

Mae diddordeb yn rhinweddau perlysiau yn cynyddu ar garlam y dyddiau yma, sy'n beth da iawn. Buasai'r hen bobol yn rhyfeddu fel y mae ein hoes ni yn anwybyddu a gwastraffu cymaint o adnoddau naturiol tin clawdd, yn lle'u defnyddio a thrwy hynny eu meithrin a'u diogelu. Gellid dadlau mai meddygaeth dlawd oedd llawer ohono, ond a ydym ninnau mor oludog â hynny? A fedrwn ni mewn gwirionedd fforddio talu am gymaint o gyffuriau parod a'u pecynnau plastig, yn enwedig â hanner y byd yn llwgu?

Nid oedd ein teulu ni'n arbennig o wybodus am blanhigion, eto mae'n rhyfedd gymaint o wybodaeth digon cyffredin ymhlith yr hen ddyddynwyr a aeth yn angof i'n cymdeithas ni. Medrai teuluoedd eraill feddwl am lawer rhagor yn ddiamau, ond dyma rai y clywsom ni (a rhai cyfeillion) eu trin neu o leiaf eu trafod.

**blodyn pi-pi'n gwely** Enw plant ar ddant y llew (*taraxacum officinale*, S. *dandelion*), nad yw ymhell o'i le! Mae'n hawdd dirmygu'r chwynyn hollbresennol heb gofio nid yn unig bod pob rhan ohono'n dda ar gyfer y gegin, ond bod ynddo hefyd lawer o nodweddion meddyginiaethol diogel – yn cynnwys ei natur drwythlifol, h.y. i wella pasio dŵr (S. *diuretic*).

**llyffant melyn bôn y clawdd** Llin y llyffant (*linaria vulgaris*, S. *common toadflax*), planhigyn meddyginiaethol trwythlifol arall.

**parat-y-wôl** Paladr y wal, murlys (*parietaria*, S. *pellitory-of-the-wall*), chwynnyn di-nod a dyf ar hen furiau, sy'n dda i'w roi mewn dŵr berwedig i rwyddhau pasio dŵr.

Mae'n berthynas llai i'r danadl poethion, er nad yw'n pigo.

**codi stumog** Er mwyn codi archwaeth at fwyd mae'n dda yfed dŵr un o'r planhigion llesol canlynol. Mae enwau rhai o'r diodydd yn adnabyddus er bod y rhan fwyaf ohonom wedi anghofio'u gwerth.

**diod dail** Rhoi un o'r perlysiau mewn dŵr poeth bron yn ferwedig, at draul y stumog.

**camameil** Nid y camri (*chamaemelum nobile*, S. *roman chamomile*) – llysiau meddyginiaethol tebyg sydd hefyd yn ddiod ddail, ac a dyfir yn glustog fer bersawrus neu ar lawnt – ond yn hytrach ei berthynas talach *chamomilla recutita* (S. *german chamomile*, *scented mayweed*). Rhoi sypyn o'r dail a dŵr berwedig mewn jar. Byddai siwgiad o **ddiod camomeil** wrth law yn y gegin ym Mlaen-y-wawr, Llanystumdwy bob amser. Llond ecob bob bore oedd y drefn yno. (L.A.R.)

Gan bod un o athrawon Ysgol Ramadeg Pwllheli yn dipyn o frasgamwr, dyma'r enw a gafodd yn llysenw – wedi ychwanegu'r llythyren 's' ar ôl y 'meil'! Ein hathro celf hoffus a'r arlunydd adnabyddus Elis Gwyn oedd o. Bu'n 'Cama' i genhedlaeth gyfan o blant, er nad oedd ef ei hun yn rhy hoff o'i lysenw, mae'n debyg.

**chwyrlys yr eithin★ / chwarlas yr eithin** Chwerwlys yr eithin (*teucrium scorodonia*, S. *wood sage*).

**★triog y ddaear** Tybiwn mai llysiau'r wennol (*chelidonium majus*, S. *greater celandine*) a olygai 'Nhad wrth hwn. Os felly, gwell i'r dibrofiad gadw'n glir ohono gan bod dos rhy gryf o'r sug mewn dŵr yn beryglus. Hefyd gw. dafad isod.

**wermod lwyd** (*artemisia absinthium*, S. *wormwood.*) Mae yntau'n beryglus yn ormodol, yn enwedig o'i fwyta.

Cymryd jóch o **ddiod wermod lwyd** yn y bore, fel camameil. (L.A.R.)

**croen yn cracio** Mae hufen yn dda ar wefusau neu ddwylo sy'n cracio yn oerni'r gaeaf.

*****chweigian felan** Chweugain felen sef hanner sofren, meddyginiaeth at **lyfreithan** (llyfrithen, S. *stye*) ar y llygad – poeri ar y darn aur a'i rwbio i roi'r sug arni. Mae'n swnio braidd fel coel ac efallai y dylai fod yn adran yr hen goelion, ond gan y defnyddir aur at anhwylderau eraill fel crydcymalau caiff aros efo'r meddyginiaethau – rhag ofn!

**dŵr cynnes a llefrith neu hufen** I olchi'r llyfreithan.

**chw'thu** Dawn gan rai teuluoedd i 'chwythu' ar y claf i wella'r cricmala a phoen yn y fraich, yr ysgwydd neu'r cefn (gw. yr eryr hefyd). Mae'r **chw'thwr** yn gosod ei ddannedd ar y cnawd noeth lle mae'r boen a chwythu nes aiff y claf yn boeth drosto a chwysu'r anhwylder allan.

**dafad /dafaden** Peidiwch â thrafferthu i fynd at y meddyg i geisio gwella'r niwsans yma (S. *wart*), na gwario yn siop y fferyllydd, ond darllen ymlaen ...

**y blodyn melyn** Cawsom wellhad buan gan John Williams, Bryn Hafod, Chwilog erstalwm. Wedi cael siom efo dŵr o'r efail, mynd yno ac yntau'n torri coesyn planhigyn gwyllt o'r ardd a alwai ef yn flodyn melyn, a gwasgu'r sug melyngoch ar y defaid. Wedi mynd yno unwaith wedyn os nad dwywaith, fe gliriodd y defaid yn llwyr.

Erbyn dallt, byddai Eluned Williams, Gorffwysfa (tua dau ganllath o Fryn Hafod) hefyd yn torri'r blodyn melyn o lôn y fynwent i wella defaid ar bobl. Mae gan ei merch Marilyn un ar ei hôl wedi gwreiddio yng ngardd Dolwen, a dyna ydyw – llysiau'r wennol (*chelidonium majus*, S. *greater celandine*) neu'r melynllys y soniwyd amdano (gw. codi stumog). Mae ei sug yn aros yn staen brown ar eich llaw. (M.A.)

Bu llyfrau planhigion yn ystod y pymthcng mlynedd ddiwethaf yn ffafrio enwau gwahanol ar hwn: dilwydd / llym y llygad / llysiau'r wennol / melynllys. (Daw'r ail enw o'r arfer o roi sug y coesau neu'r dail – dos wan, cofier – ar anhwylder llygaid.) Llysiau'r wennol yw dewis *Planhigion Blodeuol, Conwydd a Rhedyn (Cyfres Enwau Creaduriaid a Phlanhigion: 2)*, Cymdeithas Edward Llwyd, 2003. Tra'n argymell un enw safonol ar bob planhigyn mae'r Gymdeithas yn annog defnyddio'n henwau lleol yr un pryd, gan gymeradwyo *Enwau Cymraeg ar Blanhigion*, Dafydd Davies ac Arthur Jones, Amgueddfa Genedlaethol Cymru, 1995, a *Geiriadur yr Academi*.

**dŵr baw gwarthaig** Dŵr glaw wedi cronni ar faw gwartheg (i'w roi ar y ddafad, nid i'w yfed!). Dyma feddyginiaeth a ddaeth o le da sef gan Owen Gruffydd, dyn y ddafad wyllt. Fo ddaru ddweud wrth Jac Williams, y llenor ac athro gwaith coed Ysgol Ramadeg Pwllheli – brawd Lora Roberts a Robin Williams – ac yn wir fe lwyddodd Jac i wella defaid ar Ann ei ferch. (L.A.R.)

**llysia' pen tai** Neu weithiau **llysia' penna' tai** (*sempervivum tectorum*, S. *house-leek*). Torri'r ddeilen yn unig a rhwbio'r sug ynddi ar y ddafad. (O.A.)

O.N. Os na wnaiff yr un o'r rheina weithio i chi, y peth i'w wneud wedyn yw codi i lefel uwch, i'r byd ysbrydol! Felly rydym wedi gosod y meddyginiaethau isod ar wahân yn adran Hen Goelion:

**cig moch yn pydru**

**dŵr 'refail**

**prynu'r ddafad**

**rhwbio edafedd**

176

**dail crach** Meddyginiaeth ar gyfer **trywingan**, derwreinen (S. *ringworm*): lapio dail crach sef dail bysedd y cŵn (*digitalis purpurea*, S. *foxglove*) arni, tu chwyneb isa'. Ffwng sy'n achosi'r dolur yma ar groen anifeiliaid, a ninnau yn ei ddal oddi ar anifail e.e. buwch odro.

**dima' goch** Y feddyginiaeth at y **'sbinagl** (S. *quinsy*) oedd rhoi dimai goch mewn cwpan a haen o finegr drosti i fwrw noson, a rhoi'r sudd i'r claf ei garglo drannoeth. Byddai'n rhaid gochel defnyddio'r hen geiniog, a oedd yn rhy gryf! (Mae'n siŵr bod ein ceiniog fach ni heddiw yn rhy wan.) Fel y chweugain felen mae'n swnio braidd fel hen goel, ond roedd yn gweithio medden' nhw.

**dŵr ar benglin** Yr aflwydd a elwir yn S. *housemaid's knee.*

**dŵr rhos mari** (*rosmarinus officinalis*, S. *rosemary.*) Yn dda i'w yfed at ddolur gwddw.

**sipian mêl** Meddyginiaeth arall at ddolur gwddw.

**eli briallu** I wella'r croen. Llond sosban o friallu, a lard, 'a rhywbeth arall fel *liquid paraffin*', a'i gymysgu. Mam Katie Jones, Maen-y-wern, Llanystumdwy sef Elisabeth Jones, Rhos-ddu, Yr Ynys a wnâi hwn. Roedd yn felyn mewn jar – ac yn drewi'n echrydus. Ond mi ddaru glirio *eczema* ar Madge, Blaen-y-wawr, chwaer Lora, mewn llai nag wythnos, a chafodd hi byth mohono wedyn. O.N. Y briallu, wrth reswm, yw *primula vulgaris*, S. *primrose* ond dylem nodi mai perthynas agos iddo, briallu Mair (*primula veris*, S. *cowslip*) sy'n dda at anhwylderau'r croen yn ôl rhai llyfrau meddyginiaethol, a briallu yn hytrach ar gyfer poen y cricmala. (L.A.R.)

**eli ysgaw** Meddyginiaeth at lyfreithan neu lygad poenus: berwi rhisgl ysgawen (*sambucus nigra*, S. *elder*) mewn hufen.

**y trydydd croen** Cofier mai hwn sy'n bwysig i'r eli ysgaw, yn ôl ein brawd a gafodd wellhad ganddo – tynnu'r rhisgl garw, wedyn y croen nesaf nes dod at y croen mewnol; hwnnw sy'n toddi'n eli. (R.D.J.)

**yr eryr** Dwy feddyginiaeth i wella'r eryr (S. *shingles*):

**chw'thu** Y ddawn o 'chwythu' arno (gw. uchod) drwy gwilsyn gŵydd, gan boeri ychydig drwyddo yr un pryd. Gwneir hyn am wythnos efallai, ben bore cyn i'r claf ymolchi na bwyta.

**gwaddod blawd ceirch** Rhoi gwaddod a fu'n wlych am amser arno efo pluen, i oeri'r eryr. Rheichion yw'r gorau (gw. adran Ffarmio a Garddio).

**glasdwr** Glasddwr: fel y ddiod yn y cynhaeaf (gw. adran Bwyd a Diod) ond gyda dŵr oer. Llaeth enwyn â dŵr berwedig ar ei ben i'w ysgafnu, gadael iddo waelodi ac yfed y **gleision**, sy'n dda at yr annwyd neu oerfel.

**glasdwr poeth** Dŵr berw ar ben llaeth enwyn, eto i wella'r annwyd.

**gwe pry' cop** Yn dda i geulo gwaed. Llawn cystal â dernyn o bapur newydd ar eich gwyneb wedi torri'r croen wrth eillio (ac yn edrych yn well?).

**menyn hallt** Yn dda i atal gwaed o friw.

**gwin ysgaw** Ei yfed yn boeth rhag cael yr annwyd ar ôl gwlychu. Cofiwn gael y ddiod boeth yma at yr union ddiben gan fodryb inni amser maith yn ôl yn Tyddyn Mawr, Pennant – a hynny yn yr hen dŷ sydd bellach wedi diflannu dan sied newydd! O.N. Diod o *flodau*'r ysgaw oedd hwn, mae'n debyg.

**dŵr poeth a mwstard** Wedi gwlychu, golchi'r traed a'u socian ynddo.

**gwlanan goch** Y driniaeth at y crydcymalau oedd lapio gwlanen goch am y cefn yn nesaf at y croen, yn y gaeaf ran amlaf.

    **yn gam bob gaea'** Dywediad da am un yn dioddef o'r **cricmala** (crydcymalau).

**llosg ar y cnawd** Rhoi hufen neu fêl arno.

**llosg eira** Cerdded yn droednoeth yn yr eira meddan nhw yw'r feddyginiaeth at losg eira, sef poen cnawd sydd wedi fferru. Gwaethygu'r boen yn fawr a wna dal y llaw neu droed mewn gwres. Triniaeth arall yw rhoi olew olewydd arno. S. *chilblain*.

**llus yn dda i'r golwg** Dyna'r gred; wrth gwrs, mae'r fitamin-C yn dda i bopeth.

**llyngar** Dŵr a sunsur yw'r driniaeth at lyngar, y salwch a achosir gan y llynghyren, ll. llyngyr (S. *tape-worm*).

**mwg lledar** Meddyginiaeth hynod (o Amlwch) at glwy'r marchogion (S. *piles*): llosgi lledr mewn pwced ac eistedd ar y mwg. (Emyr P.)

**pigiad dala poethion / dail poethion** Y driniaeth i bigiad danadl poethion yw rhwbio'r frech efo dail tafol (*rumex obtusifolius*, S. *broad-leaved dock*), sy'n tyfu gerllaw yn aml.

**pigiad gwenyn meirch / pry llwyd** Finegr yw un driniaeth i bigiad gwenyn meirch neu bry llwyd.

**posal triog** Llefrith berw ar laeth enwyn, a thriog, at yr annwyd.

**powltris bara gwyn** Roedd gan bobol sawl math o bowltris (S. *poultice*) yn sylwedd poeth i'w lapio am y cnawd i dorri casgliad. Un oedd rhoi tafell o fara gwyn ar liain, a saim cig moch, yna cau'r lliain a'i roi mewn dŵr berwedig cyn ei lapio am y briw.

mwg lledar

**powltris march malws** Roedd gan 'Nhad blanhigyn tal praff â blodau lliw pinc gwan arno a gawsai yn doriad o Bryn Gwynt wedi iddo ymddeol i Bwllheli, at wneud powltris o'r dail meddal yn enwedig i dynnu casgliad draenen o fys. Un o deulu'r hocys oedd o, tebyg i'r hocys cyffredin (*malva sylvestris*, S. *common mallow*) ond tybiwn bod ei ddail yn wynnach oddi tanodd ac yn feddalach, felly mae'n siŵr mai hocys y morfa (*althaea officinalis*, S. *marsh mallow*) ydoedd fel yr awgryma'r enw.

**pren melyn** Cofiwn 'Nhad yn tynnu'r croen oddi ar ddarn o frigyn ifanc o lwyn pren melyn gwyllt (*berberis vulgaris*,

*S. barberry*) oedd yn tyfu ar glawdd y rhos yr adeg honno. Ni chofiwn pa ddefnydd a wnâi ohono ond mae'n debyg y câi ei ferwi – mewn hufen efallai – ar gyfer rhyw eli.

**atal 'rigian** Yr igian (*S. hiccup*). Dull diffael o atal 'rigian ydi dal eich gwynt yn ddigon hir i gyfri'n araf i ddeg, ac eilwaith os bydd raid.

>**yfed dŵr** Dylai yfed gwydriad o ddŵr gael gwared arno hefyd.

>**wermod wen** Golchi'r dail a'u rhoi ar frechdan, at grydcymalau a *migraine*. (L.A.R.)

## Amrywiol

**\*clwy' bladur** Poen cefn a phoen cyhyrau ar ôl pladurio. Gallwn dystio y bydd garddwr achlysurol heddiw yn dal clwy' strimiwr weithiau. Ond fel y gŵyr pawb a fu'n trin pladur, mae'r chwipiwr trydan yn un o fendithion yr oes.

**Mae o'n codi pwys arna' i** Yn troi ar fy stumog.

>**cnofeydd 'stumog** Poen bol.

**chwilio efo crib mân** Mae'r briod-ddull yn ein hatgoffa o'r arfer o gribo gwallt plant yn rheolaidd gyda chrib â dannedd clos, rhag y llau.

**O diar, diar doctor,**
**Mae pigyn yn fy ochor;**
**Ond well gen i roid pwmp o rech**
**Na thalu chwech i'r doctor**
Nid pigyn yn fy ochor a ddywedwn ar lafar chwaith, ond **pigyn yn 'rochor.** Mae'r pennill yn amlwg yn dyddio'n ôl cyn y Wladwriaeth Les (ond gwylier Llafur Newydd).

**mi wyt ti'n frau** Cofio llais araf yr hen Domos wrth un o'r hogiau oedd wedi **rhoid pwmp / pwmpian**: 'Dum, mi wyt ti'n frau ychan!' (T.R.)

**rhechan fel stalwyn** Ni welir hon yn y llyfrau idiomau!

*doctor esgyrn** Enw ar lawfeddyg *orthopaedic* cyfoes. Benthyciad naturiol ydyw o'r hen enw ar rai â'r ddawn i drin a gosod esgyrn (*osteopath*). Roedd siop gan Richard Evans y Meddyg Esgyrn yn Stryd Moch ym Mhwllheli.

**dŵr oer ar dy wegil** Roedd yn arferiad acw gan y dynion ar ôl torri eu gwalltiau gartref i roi slempan o ddŵr oer dros y gwegil, rhag ofn cael annwyd.

**Y frech wen unwaith, y frech goch ganwaith**

**manwnna'** Manwynnau neu glwy'r brenin (*scrofula*), clefyd ar chwarennau'r lymff sy'n dangos smotiau gwynion yn enwedig ar blant.

**Mae o â'i gorn dano** Rhywun ddim yn teimlo'n dda, delwedd ddaeth o anifail yn benisel neu'n gorwedd.

**yn cwyno** Am rywun yn sâl.

**yn giami** Mae hwn a'r nesaf yn bobol neu anifail sâl.

**yn gwla**

**yn sâl fel ci**

**yn teimlo'n llegach**

**gwayw'n 'i phen** Cur pen. Ceir talfyriad yn y trydydd person gwrywaidd, **gwayw'n 'ben** ac yn y person cyntaf, **gwayw 'mhen**.

**Mae hi'n gwichian fel megin** Â'i bron gaeth yn hyglyw.

**Tydi 'ngwas i ddim hannar da** Sôn am rywun yn sâl. Gair hyblyg yw 'gwas'. Yn y trydydd person fel hyn mae'n enw tosturiol, a go dyner neu amyneddgar ei naws yw'r cyfarchiad **was, was bach** a **'ngwas i.** Eithr digon diamynedd weithiau ydi **wás** a **washi** – 'Gwranda, wás'.

**Tydi mêt ddim rhy dda heddiw** Clywir tinc gwawdlyd ar hwn.

**mynd saith lath yn erbyn gwynt** Gorfod ei gwneud hi am y lle chwech agosaf – neu dros ben clawdd.

**pils cachu sydyn** Moddion i ryddhau'r cyfryw goluddion.

**gwedd y bîb arni** Golwg wachul. Na, nid fel y BBC, ond achos y *diarrhoea*! Ac wele raddfeydd lliwgar o hwnnw a glywsom gan gymeriad adnabyddus o'r ardal (R.Js):

**y bîb lygadog** Dyma'r cyflwr safonol, fel petae, o'r bîb.

**y felan fawr** Cyflwr gwaeth; 'un hegar' meddai ef.

**y dorti Elis Ddu / y dorti** A dyma'r waethaf! 'Mae honno'n dy sigo di,' meddai. Beth bynnag am y cyflwr ei hun, mae'r enw yma'n un diddorol am ddau reswm. Yn gyntaf, mae'n enghraifft o odl godl Gymraeg fel y S. *rhyming slang*, oherwydd tybiwn mai Cymreigiad ydyw o S. *dysentery* – wedi'i fathu efallai gan gyn-filwyr (gw. isod).

Yn ail, cyfeirio y mae at gymeriad hynod o ganol y ddeunawfed ganrif sef Dorothy Ellis o Bentreuchaf, y tybid ei bod yn wrach ac a elwid yn Dorti Ddu. Robert Jones, Rhoslan yn *Drych yr Amseroedd* a gofnododd ei hanes yn erlid John Owen, person Llannor a Dyneio a changhellor eglwys Bangor wedyn, am ei fod yntau'n erlidiwr digymrodedd ar y Methodistiaid cynnar. Teithiai Dorti i amharu ar ei bregethau a'i felltithio am y gweddill o'i oes, a phan fu ef farw yn 1755 beth wnaeth hi ond mynd yr holl ffordd i Lanidloes i 'ollwng ei budreddi ar ei fedd'.

Dim ond ychydig dros hanner canrif wedyn y cafwyd y rhyfel hir yn erbyn Napoleon, hyd y frwydr olaf yn Waterloo yn 1815. Buasai gweithred anfad y wrach honedig ar fedd y canghellor yn stori gyfarwydd i lu o filwyr Cymraeg, yn enwedig rhai o Lŷn ac Eifionydd. Mae'r hen stori'n dal yn fyw yn y fro o hyd, felly, bob tro y digwyddwn sôn am rywun yn dioddef o'r dorti.

**Penstandod sy' arnat ti, well i ti ista** Pensyfrdandod, cyflwr penysgafn a ddaw dros rywun am ysbaid.

**ca'l y bendro** Cael penysgafnder braidd yn feddwol – ar ôl troi rownd yn sydyn, er enghraifft. Yr un enw â'r clefyd ar ddefaid.

**pigyn yn 'glust** Poen clust.

**fel riwbob dan bot** Golwg legach, welw ar rywun.

**golwg sbruddach** Gwedd bruddglwyfus. Gall fod yn olwg lwydaidd, wachul hefyd, ar ddyn neu anifail.

**wedi darfod** Heneiddio a churio.

**wedi torri**

**ca'l sgeg / sgegan** Cael eich ysigo a'ch gwanhau yn gorfforol, er enghraifft ar ôl triniaeth ysbyty. "Mi ges i dipyn o hen sgeg a d'eud y gwir". Daw o'r un gwreiddyn ag 'ysictod' ac 'ysig' efallai, ond y S. *shake* yw awgrym GPC.

**Mi ges i sgôr ar fy llaw** Cyt (S. *cut*) glywir bellach am dorri'r cnawd gan rywbeth miniog, ond sgôr ydoedd i ni.

**holltan** Hollt, rhwyg mwy agored yn y cnawd (ac mewn craig ac ati).

*Bryndewin, 1948, llun gan rai o'r 'fisitors' – teulu o'r enw Perks.*

*Uchod: (chwith) Mam a'i brawd David Griffith yn y cefn, a Robert Owen (Bobi Pensarn wedyn), mab amddifad drws nesaf a fagodd Nain fel brawd bach iddyn nhw a'r lleill, Mary, Annie, Hugh ac Wmffra ym Mhentyrch Uchaf, Llangybi, tuag adeg y Rhyfel Byd Cyntaf; (dde) Mair yn 4 oed, 1935.*

**Mae gen ti 'sgriffiad hegar** Crafiad egr. Neu 'Mi gafodd hi gic hegar gen y ceffyl.'

**wedi bynafyd** Berf yn golygu brifo. Daw o ymanafu sef anafu eich hun. Yr ansoddair yw **bynafus**.

**wedi dal rhyw slecan** Afiechyd fel ffliw o gwmpas y lle, yn cael ei achosi gan feirws.

**llychedan** Llucheden. Enw gan deuluoedd eraill ar yr un math o aflwydd.

**ca'l bỳg** Dyna glywir yn amlach na pheidio yn ddiweddar. S. *bug*.

**Mae o fod i swatio am dd'wrnod ne' ddau** Aros yn y gwely, er enghraifft ar orchymyn y meddyg. S. *squat*.

**taflyd i fyny** Cyfogi.

**Mae hi'n tendio arni ddydd a nos** Gweinyddu ar rywun, nyrsio. S. *tend*.

**tendia ga'l annwyd** Ystyr wahanol, sef rhybudd i gymryd gofal, S. *attend*.

**tendia!** Gorchymyn i symud o'r ffordd. S. *attend*.

**\*torri'i lengid** Torri'r llengig (S. *rupture*).

**\*torri cymal 'i bwrs** Yr un gwendid.

**troi clos** 'Cael ych gweithio' chwadal y doctor.

> **Yr iach a gach yn y bore,**
> **Yr afiach a gach yn yr hwyr;**
> **Yr afiach a gach rhyw dipyn bach**
> **Ond yr iach a gach yn llwyr!**

# Iechyd Anifail

## Hen feddyginiaethau

Ni all ffermwyr a thyddynwyr fforddio galw'r ffariar neu fet allan bob tro bydd anifail yn sâl, felly mae'n rhaid iddynt brynu neu wneud eu meddyginiaethau eu hunain. Roedd rhai o'r meddyginiaethau cartref yn effeithiol ac yn sicr yn rhatach, a phwy a ŵyr na ddaw hi i hynny eto. Ar y walbant ger drws y beudy a'r stabal y byddai llawer yn cadw eli neu ddos o ffisig a'r corn buwch ac ati, a dyma ddyrnaid o gynhwysion o'r fath y cofiwn 'Nhad yn sôn amdanynt ddeugain mlynedd yn ôl (ac eithrio'r 'golch sur'!):

**cefn mochyn yn dendar** Rhwbio llaeth enwyn i'r croen oedd y feddyginiaeth i fochyn wedi bod ormod yn yr haul. (Yng nghysgod coed y mae'r lle naturiol i fochyn.)

**eli chwarlas yr eithin** Meddyginiaeth i gynrhon ar ddefaid: gwneud eli drwy falu chwarlas yr eithin (gw. codi stumog, adran Iechyd Pobl) a'i gymysgu mewn lard, efo halen, a'i roi ar y briw. Byddai'n cadw pryfaid draw hefyd.

**eli chwyrlys yr eithin** Byddai Mam hithau yn gwneud eli a alwai hi'n chwyrlys yr eithin, ond ar gyfer briw ar bwrs buwch. Y cyfan a gofiwn yw y byddai'n berwi'r chwyrlys mewn llefrith, neu efallai mewn hufen â menyn hallt ynddo.

**eli gweryd** Eli o dar Stockholm ac oel i ladd pry'r gweryd sy'n achosi gweryd, briw ar wartheg (S. *warble fly*).

**ffisig deilan gron** I wella buwch yn rhwym wedi oeri. Gwneud stwnsh (na!) o falwod a'u cregyn, deilen gron (*umbilicus rupestris*, S. *navelwort*) a phwys o fenyn.

**ffisig triog** At fuwch rwym eto, i'w roi iddi mewn griwal. Pwys o driog, hanner pwys o fenyn, llond llwy fwrdd o fwstard a llond llwy de o sunsur.

**golch sur a halan** Hynny yw hen biso dynol wedi sefyll, efo halen; cystal â dim i'w roi'n ddos rhag llyngyr i wartheg. (E.W.)

**griwal** Berwi blawd ceirch a dŵr yn ddiod denau i roi cyffur ynddo, yn ffisig o botel i lawr corn gwddw anifail, buwch gan amlaf.

## Amrywiol

**y bendro** Enw cyfarwydd ar glefydau ar ymennydd anifeiliaid; bu'r un a geir ar ddefaid yn gynhenid yng Ngwledydd Prydain ers dwy ganrif a hanner, mae'n debyg. Soniwn amdano er mwyn awgrymu benthyg ffurf ohono ar gyfer y clefyd *BSE* (*bovine spongiform encephalopathy*). Yn lle'r cyfieithiad trwsgwl, 'clefyd y gwartheg gwallgo' mae angen enw manylach tebyg i 'bendro ysbwng'.

**Be' sy' arnat ti dywad, oes bra'nar arnat ti?** Clywir hyn o gwmpas y bwrdd bwyd weithiau, os bydd rhywun yn llowcio'i fwyd yn wirion. Clwy'r iau sy'n peri gwedd sâl ar geffylau a gwartheg yw braenar, o'r ferf braenu, pydru. (Ceir ystyr arall i braenar, math o dir âr – gw. cae bra'nar, adran Ffarmio a Garddio.)

**cath yn b'yta gwellt glas** Dyna'i meddyginiaeth reddfol pan fydd anhwylder arni. Ci yr un fath. Efallai bod yr anifail yn hel llyngyr gyda'r gwellt yn y stumog ac yna'n ei daflu i fyny.

**corn ffisig** Corn buwch i roi dos i lawr gwddw anifail. Mae'n hwylus a gafael da ynddo.

**yn dwad ymlaen** Disgrifiad o anifail ifanc ar gynnydd, yn gryf ac yn iach.

**Mae o'n ddigon beth'ma** Pan fydd dyn neu anifail ddim yn teimlo'n dda, heb wybod yn iawn beth sy'n bod arno.

**nôl y ffariar** Y meddyg anifeiliaid. Dyna glywid bob amser ond mae'r **fet** yn ei ddisodli heddiw. Pedolwr neu feddyg ceffylau yn unig yw'r S. *farrier*.

**mochyn yn c'newian** Yn swnian, arwydd nad yw yn dwad ymlaen am ei fod yn wannaidd. (Gw. 'babi yn c'newian', adran Pryd a Gwedd a Ballu.)

**Mae o'n rhywiog** Am anifail â'i wedd yn llewyrchus.

**y 'sgoth wen** Math o'r bîb ar **loua bach,** lloi bach.

**'sgothi** Berfenw o'r ysgoth ar loi neu ŵyn bach.

**hach** Peswch ar loi. S. *husk*.

**llaig** Clefyd pydredd yn fforch yr ewin ar droed buwch.

**yn dwad yn strybîb / strybibo** Enw a berf lled ysgafn ar unrhyw hylif sy'n ffrydio allan, fel y bîb (gw. gwedd y bîb, adran Iechyd Pobl).

# Caru a Rhyw

Roedd yn eithaf temtasiwn i osgoi pethau llai parchus fel hyn! Dyna mae pob llyfr arall o'r math yma wedi'i wneud, yn Gymraeg beth bynnag. Yn tydan ni'n teimlo'n anghysurus heddiw wrth sôn am garu a rhyw ar bapur? Nid oedd y werin na'r hen feirdd a llenorion gynt yn malio am barchusrwydd o'r fath; yn wir, ni fuasai Dafydd ap Gwilym a Gwerful Mechain, neu Twm o'r Nant a Rhys Jones o'r Blaenau yn deall ein hofnau o gwbwl. Sut gallwn ninnau beidio cyfeirio at beth mor naturiol a chanolog yn ein bywyd, na chyfiawnhau ei hepgor o bortread honedig o lafar unrhyw ardal? Mae gennych chwithau 'chwaneg efallai!

**bodan**, ll. **bodins**\* Merch ddeniadol: 'Mae hi'n uffar' o fodan, a'i chwaer – mae'r ddwy yn fodins.' Dylanwad iaith y Cofi efallai. O'r S. *body* yn ôl GPC.

    **y fodan** Cariadferch.

    **yr injan** Enw ysgafn ar eich cariadferch eich hun ar y pryd.

    **yr hogan / yr hogyn** Eich cariad eich hun.

    **peth ddel**

    **peth handi**

    **pishyn** Merch neu fachgen deniadol. S. *piece*.

    **slasan** Merch hardd osgeiddig. S. *slash*.

**ci / hen gi / hwrgi** Dyn sydd ar ôl merched yn dragywydd.

**hen ast** Ond mae hon yn wahanol (gw. y bobl aflawen yn adran Cerydd a Dadl).

**clunia' fel derw** Sylw dynion am ferch gref.

**codi min / ca'l min** Cynhyrfiad rhywiol.

**Mae hi'n cwna eto** Berf am ferch yn hel dynion, o'r ymadrodd am ast yn gofyn ci.

**cyw dîn claw'** (clawdd.) Un a elwid unwaith yn blentyn 'anghyfreithlon'.

**Mae Dad yn licio mamarlêd**
**A Mam yn licio goco**
Nid am fwyd mae hwn yn sôn! Mae plant yn cael dysgu am bethau o'r fath tu mewn i'r ysgol bellach, nid ar yr iard fel hyn. O.N. Hen air sâl ydi licio ond am ryw reswm tydan ni ddim yn hoffi 'hoffi'!

**Sut wyt ti?** – **O, dal i hongian!**

**Mae hi'n un dinboeth** Am ferch sy'n hawdd ganddi fynd i'r afael â dyn. A'r un fath am ddyn sy'n un garw am y merched.

**â'i draed dan bwr'** Yn cael croeso wrth y bwrdd yng nghartref y cariad, hynny yw yn caru o ddifrif.

**yn ca'lyn** (canlyn.) 'Pwy ydi'r hogyn yna mae hi'n ga'lyn?'

**caru'n selog / mynd yn selog**

**cyboli\*** Cael perthynas ysgafn efo cariad ar y pryd – 'Mae hi'n cyboli efo fo ers tro byd.' Nid dyna unig ystyr hwn chwaith:

**cybôl / cyboli** Yr ystyr arferol, siarad lol.

**Fydda'i ddim yn cyboli efo nhw** Ystyr wahanol eto am ymwneud â rhywun, yn aml ag oslef anghymeradwy.

**Ar y ffordd wrth fynd i Sbaen**
**Gwelais g\*\*\*\*n yn sownd wrth tsiaen,**
**A dala poethion yn tyfu drosti**
**Rhag i hogia' drwg fynd ati**
Rhagor o addysg iard yr ysgol gynradd gynt!

*g'neud* **peth** Isaac Owen Jones, Penarth Bach yn sôn amdano ef a'i gefnder Owen Jones, Rhedynog Isaf yn mynd adref ar eu beics o'r seiat un nos Iau. Ar ôl pasio 'Dynog Ganol a dringo am 'Dynog Isaf beth welai'r ddau yn y llwyd-dywyll ond dau yn caru ar y clawdd. Wedi padlio heibio'n ddistaw, sylw Owen Jones oedd 'Dym, dwi'n siŵr bod o'n *g'neud* peth iddi!' (H.E.J.)

**\*y goes ganol** Rhan rywiol dyn.

**Hecra' bo'r garrag, saffa' bo'r graig** Cyngor wrth ddewis cymar.

**hen hoedan bach** Merch ifanc ddigywilydd a 'llac ei moesau'. S. *hoyden*.

**\*wedi lympio** Geni baban; dywediad go amharchus am beth mor annwyl. Mae'r ddelwedd yn dod o'r ymadrodd di-lol am ddadlwytho! (Gw. adran Ffarmio a Garddio isod.)

**Lle wyt ti'n pori rwan?** Hynny yw, efo pwy wyt ti ar hyn o bryd.

**\*powltris blew** Enw ysgafn gorchestol llanciau ar y weithred neu ar y profiad rhywiol. Enw llai cyfarwydd na'r isod. S. *poultice*.

**pwdin\*** Talfyriad poblogaidd o'r nesaf. "Mae o wedi mynd am 'i bwdin" meddir am ryw garwr llwyddiannus.

**\*pwdin blew** Enw ysgafn gan ddynion ar ryw.

**\*pwdin blew poeth** Estyniad gorchestol ohono a glywir weithiau.

**Pum munud o blesar,**
**Naw mis o boen;**
**Wsnos yn 'gwely**
**Ar ôl geni'r oen**
Pennill arall o ysgol y pentref, o iard y genod y tro hwn. Roedd clamp o wal uchel yn rhannu'r iard gefn yn ei hanner yr adeg honno, a byddai gweithgaredd y naill hanner yn dipyn o ddirgelwch i'r llall! Mae'r wal wedi hen ddiflannu ond o leiaf mae'r ysgol fach yno o hyd.

**\*rhwng y llorpia'** Delwedd am goesau merch, sef cael rhyw. Breichiau trol yw llorpiau.

**ar 'i chefn hi** Delwedd boblogaidd o fyd natur, am gael rhyw eto.

**dobio\*** Berf am y weithred rywiol fel y nesaf; iaith ymffrostgar gan lanciau.

**dyrnu\***

**sathru** Gorchwyl ceiliog efo'r iâr.

**sbonc / cael sbonc\*** Berfenw bechgyn ifainc ar dafliad yr had dynol. S. *spunk*.

**tafliad / cael tafliad\*** Y berfenw arferol. S. *ejaculation*. Ni ddefnyddir rhannau'r berfau e.e. sboncio, taflu.

**\*ca'l sgrag / sgragio\*** Miri arddegau cynnar yn ceisio ymyrraeth yn bowld dan ddillad genethod, o gwmpas neuadd y pentref gyda'r nosau. O'r S. *scrag*, trin yn arw.

**Su'ma'i, blodyn / Su'ma'i, del.** Mae cyfarchion fel hyn yn dal yn boblogaidd hyd y gwyddom – ond beth wyddom ni!

**blodyn tatws** Wrth un ifanc annwyl y clywch chi hwn yn cael ei ddweud amlaf.

**Sumâi, 'rhen haliwr★** Sef un yn **halio★**, cyfarchiad cyfeillgar os athrodus, fel y S. *you old wanker.*

**wedi tapio★** Perswadio cariad i ddod allan y tro cyntaf. ' '*Nes i dapio hogan bach o Nefyn.'* Pwllheli oedd y lle i ni ar nos Sadwrn fel arfer ond byddai mwy o ddewis yng Nghaernarfon! Cerdded rownd a rownd o'r Maes ac o dan y cloc gan obeithio tapio rhywun, y bechgyn un ffordd a'r merched y ffordd arall ar y cyfan. Ac os na fyddech chi'n sgut i ofyn, y tro nesaf y dôi'r pishyn rownd i'ch cyfarfod byddai yng nghwmni rhywun arall.

**ca'l bachiad** Llwyddiant wedi'r tapio, gyda gobaith o barhau.

**chwilio am dalant**

**chwilio am sgert★** Gair ysgafn am ferch, wrth chwilio am gariadon.

**yn trin★** Am ddyn yn cysgu'n rheolaidd efo rhywun. Clywir merched yn ei ddweud yn ogystal: 'Mi glyw'is i bod o'n trin hon a hon.'

**uffar' o bâr da** Coesau da; gan ferch fel rheol, ond dewiswch chi.

**Wrth dwsu a thagu mae cariad yn magu**

**Wrth gicio a brathu mae cariad yn magu**

# Byd Natur

## Galw anifeiliaid

Mae gan bob ardal amrywiadau ar y geiriau bach cyfarwydd a diddorol i siarad ag anifeiliaid. Mae rhai ohonynt yn barau dwbl bob amser. Yn naturiol mae rhai o'r rhain ymhlith y geiriau hynaf a feddwn ac nid yw'n syndod canfod ffurfiau tebyg drwy Wledydd Prydain ac Iwerddon. (Yn *Animal Call-words*, David Thomas, cafodd y geiriau eu casglu'n ddyfal ond yna'u gwasgaru megis crwydradau llwythau tybiedig heb nodi'r ffynonellau ymchwil, gan ddifetha'r holl dystiolaeth.)

Nid dyma'r lle i drafod galwadau eraill a glywsom yn Nyfed, yn cynnwys rhai ar geffyl, gŵydd, hwyaden – a brân! Rhaid gohirio hefyd sôn am ddylanwad posib y Wyddeleg, iaith a gâi unwaith ei siarad yn nheyrnas frenhinol y Gwyddyl yn Nyfed, ac i ryw raddau mewn rhannau eraill o Gymru fel Gwynedd, ac efallai Brycheiniog. Nid oes raid i'r cyfan fod yn hynafol chwaith; mae rhai yn amlwg yn enwau onomatopeaidd, sef yn dynwared eu sŵn nodweddiadol e.e. dsig, gwdsh. Ond mae'n sicr bod rhai fel dia a gis yn tarddu o ryw heniaith gynnar iawn yn yr ynysoedd hyn a thu hwnt.

**bôwch bôwch** Galw ar fuwch i ddod atoch.

**bwôch bwôch**

**ho'r fuwchan (bach)** Sgwrs i dawelu buwch.

**ho 'mechan i**

**trw / trw bach** Clywsom y rhain, a'r nesaf hefyd, ond nid acw.

**trybôch**

**cysia / hysia** Annog ci i fygwth a gyrru anifail. Ymhlith pobl cŵn defaid clywir termau Saesneg yn aml heddiw – *come by* ac ati. Mae hynny weithiau pan fydd ci a brynwyd wedi cael ei ddysgu'n barod, neu am bod ci ac yn enwedig gast o frid yn newid dwylo drwy Wledydd Prydain ac yn llai o werth os nad yw'n deall bugeiliaid diarth yn siarad!

**gorfadd** Gorchymyn i gi orwedd.

**sa' draw** Gorchymyn i gi defaid gadw tu hwnt i'r ddafad.

**dia dia / dia bach** Galw ar lo bach i ddod am ei lith.

**dio dio** A geir dylanwad y gair diod yma?

**dsig dsig** Galw ar gywion ieir i nôl bwyd.

**gis gis** Galw ar fochyn i ddod am ei fwyd.

**gwdsh gwdsh** Galw ar ieir i nôl bwyd. Dyna ddywedwn ni ond clywsom y llall hefyd.

**dsiwg dsiwg** Dull hollol groes o ddarlunio llais yr iâr.

**pws pws** Rhaid peidio anghofio'r gath!

**wê** Galw ar geffyl i aros. Gall fod rhyw gysylltiad â'r enw gwe ar bâr o geffylau, a'r un sail efallai i'r S. *whoa*.

**bec** Cyfarwyddyd i geffyl symud yn ei ôl. S. *back*. Nid oedd gennym air i alw ar geffyl, dim ond ei enw, a chwibaniad hir dolefus (nid anhebyg i gri bwncath!) os byddai'n pori yn y rhos neu draw 'yr ochor isa'.

# Amrywiol

**Aur dan y rhedyn, arian dan yr eithin, plwm dan y grug**
Weithiau 'newyn dan y grug', sy'n egluro'i ystyr sef gwerth
cymharol ansawdd y tir.

**Fedrwn ni ddim beio lindys am beidio bod yn löyn byw** Ei
ymateb i sylw gennym ein bod yn edifar am rywbeth ddaru
ni sgrifennu'n ifanc. (W.S.J.)

**Y blwydd yn lladd y d'yflwydd** Dywediad am lyffantod yn
cymharu, pan welir y gwryw bychan ar gefn y fenyw fawr.

**Mae brân i frân front**
**A barcut i farcutan**
Gobaith am gymar i bawb ohonom, ni waeth pa mor
ddiolwg! Tystiolaeth hefyd i'r barcud drigo yn Eifionydd
unwaith, heb fawr o barch iddo yn ôl pob golwg. (W.G.)
(O.N. Ceir sôn am y *kite* yn ysglyfaethu ar strydoedd
Llundain gynt, ond noda rhai adarwyr nad oes prawf mai ein
barcud coch ni oedd hwnnw yn hytrach na'r barcud du
hyderus sy'n gyffredin ar y Cyfandir heddiw.)

**Ia, byw yn llety'r falwan ydan ni** Dywediad hynod gan Jac
Bach Glanwern, sef John Williams, 10 Glan-y-wern, wedi i
rywun ddweud wrtho ei bod hi'n codi'n braf tua Threfor a
Chlynnog a hithau'n dal yn llaith yn Chwilog. (R.G.R)

**'Rhen badall** Llysenw hoffus arall ar y pentref, yn golygu
rhyw bant o le sy'n arw am hel dŵr. Morris Elias,
Compton House fyddai'n dweud hyn. (R.G.R)

Mae'r enwau yma gan yr hen drigolion yn dra diddorol
oherwydd cânt eu hategu gan rai fu'n trafod ystyr y gair
Chwilog. Mae Gwynedd Pierce (gw. *Place-names of
Glamorgan*, t. 13 a 225) yn dilyn Melville Richards gan
egluro mai enw ar le nodweddiadol am chwilod ydyw, ac
enwau eraill tebyg fel Bodchwilog, Pant-y-chwil, afon

*Pen isaf pentref Chwilog uwch pont y felin a dôl yr afon (gw. ''rhen badall').*

*'Llety'r falwan': cronfa hen ffos y felin ar ddolen ddiog i fyny'r afon, 1959.*

Whilwg, afon Wheelock etc. Cofiwn ninnau Ifor Williams wedi i ni holi'r ystyr ganddo yn awgrymu rhyw gysylltiad â natur chwil neu droellog yr afon Wen a lifa drwy'r pentref, neu ryw byllau ynddi. Ac yn wir mae'r afon yno'n dolennu mewn hanner cylch mawr coediog a phyllog. O.N. A allai'r 'chwilod' gynnwys malwod (â'u cregyn chwil)?

\*cadw nyth Pan fydd iâr wedi nythu a dodwy allan ar ben clawdd, mae'n well peidio hel yr wyau i gyd ond gadael un i gadw'r nyth rhag iddi ddigio a mynd o'r golwg i ddodwy yn rhywle arall. Hefyd gw. ŵy tsieni.

iâr ori Pan fydd iâr yn dechrau gori – yn swnian a dangos awydd mamol – caiff ei chadw'n gaeth i roi 'chwaneg o wyau oddi tani a rhag iddi fynd o'r golwg i nythu. Os na fydd wyau i'w rhoi dani caiff ei chau yn y jêl, bocs tywyll i ladd yr ysfa, neu ei rhoi'n fenthyg i rywun sydd angen iâr ori. Ni chlywsom yr 'iâr orllyd' sydd yn *Blas ar Iaith Llŷn ac Eifionydd*, er y ceir 'iâr orllydd' yng Ngeirlyfr Thomas Jones 1688.

ieir pen doman Ieir rhydd. S. *free-range.*

wya' pen doman Wyau ieir rhydd.

hen siagan Hen iâr fler, ac unrhyw hen beth ddiraen – berfa, dynes!

ŵy drwg Ŵy a aeth yn hen a drewllyd.

ŵy gorllyd Ŵy diffrwyth.

ŵy tsieni Ŵy cogio i'w roi dan iâr i'w chymell i ddodwy, neu i gadw nyth. S. *china.*

yr hen gathod yna'n caffrica\* Berfenw ar gyflwr cath dinboeth yn gofyn cwrcath, yn enwedig eu sŵn sgrechian yn y nos. Swnia'r enw'n hynod o debyg i cathwreica. Nid yw caffrica yn GPC, ond maent yn olrhain cathrica i'r ansoddair cathderig, yn golygu 'gofyn cwrcath'.

**ciaman / giaman** Cath, benthyciad o iaith y Cofi o 'G'nafron', sef Caernarfon.

**cyn wannad â chath**

**clywad fel cath**

**gweld fel cath**

**gwingo fel cath**

**ca'lyn stalwyn** Mynd â stalwyn o le i le at y cesyg.
Huw Crindir sef Huw Hughes, Sarn Meillteyrn (a'r Ffôr a Llangybi wedyn) oedd **dyn ca'lyn stalwyn** olaf 'y Gymdeithas' yn Llŷn ac Eifionydd, a byddai'n aros yn tŷ ni, neu'n hytrach yn llofft 'ryd uwchben y sgubor. Mewn ysgrif ddienw arno yn *Y Ffynnon*, Rhif 25, Mehefin 1978, diddorol iawn i ni oedd y rhestr o enwau'r llefydd yr arhosai dros nos ynddynt ar ei daith wythnos: Bodwyddog, Y Rhiw nos Lun; Berthaur nos Fawrth; Felin Newydd, Nanhoron nos Fercher; Bryndewin, Chwilog nos Iau; a Thŷ Newydd, Llannor nos Wener. O.N. Noda'r awdur (Dyfed Evans, yn ddiamau) iddo glywed **crindira** ym Mhencaenewydd am rywun yn gyrru car yn hamddenol, fel y gwnâi Huw Crindir yn ei Austin 35!

**Ceffyl a bawr a bâr** Angen digon o fwyd i'n cynnal i wneud gwaith trwm.

**ceffyl yn ymdrenglan★** Neu weithiau **mydrenglan★**. Y ferf ymdreiglo, rowlio drosodd ar borfa las wedi'i ollwng yn rhydd o lafur y dydd. Mae'r ddefod yr un fath bron bob tro. Pan gwyd y ceffyl ar ei draed dyry ysgytwad nes codi llwch o'i gwmpas, yna daw chwythiad fawr drwy'i geg nes bydd y gweflau yn ysgwyd ac yn creu'r twrw p-r-r-r cyfarwydd. (H.E.J)

**llyffant** Y gwadn meddal du dan droed ceffyl.

**marlod** Merlod, weithiau.

**strancio fel ebol mynydd**

(**Anodd tynnu cast o hen geffyl**)

**cena' pry' gwirion** Neu **gwas neidar**. Madfall, genau goeg. Daw ei gynffon yn rhydd yn eich llaw a'r gred yw y tyf gynffon newydd yn ei lle.

**Ci pwy 'di'r ast?** Clywir dyfynnu'r geiriau yma weithiau, ar ôl un oedd yn holi pwy oedd piau rhyw ast. (R.G.)

    **ael o gŵn** Teulu o gŵn bach. Nid yw hwn mor adnabyddus ag **ael o foch**.

(**Boliad ci a bery dridia'**)

**ci yn dyhefod / dyhefyd** Dywedir hyn am gi yn anadlu'n gyflym wedi chwysu (a defaid yr un modd), sef ei ffordd ef o chwysu'r gwres allan. Daw'r enwau o'r un gwreiddyn â dyheu.

**dogar★** Enw annwyl am gi: "'rhen ddogar".

**Pero / Tango** Pam yr enwau Sbaeneg ar gŵn? Rydym wedi crybwyll eisoes ein cred bod milwyr a llongwyr ifainc Cymru wedi dod â geirfa liwgar yn eu holau o'r rhyfeloedd hir yn Ffrainc a Sbaen ar ddechrau'r 19eg ganrif. Hwyrach mai dyna'r eglurhad ar y rhain (ac efallai ar rai o eiriau rhyfedd cofis Caernarfon). *Perro* yw'r enw Sbaeneg ar gi, ac oni welsai'r hogiau y senoritas yn dawnsio'r *tango*?

**sodlu** Ci yn rhuthro y tu ôl i anifail i'w yrru.

**cnau daear** *Conopodium majus*, S. *earthnut / pignut*. Byddem yn blant yn hoff o dyllu am y cnau ar wreiddyn y planhigyn o gwmpas y cloddiau yn yr haf. Mae'r mochyn daear yn eu hadnabod yn iawn, wrth reswm, ac mi welwch ôl ei flerwch yn tyrchu amdanynt.

**cnau mwnci** S. *peanut*; enw blaenorol ar y gneuen oedd *monkey nut*.

**hel cnau** Pan ddaw mis Medi daw'r ysfa o hyd i fynd i hel cnau. Nant Brynbachau oedd y lle am gyll i ni erstalwm, ond ni fuom yno ers deugain mlynedd i weld a ydyn nhw yno o hyd. Yn hydref 2003 roedd llawer o gnau wedi syrthio'n rhy gynnar ac yn weigion, ac yng ngorllewin Iwerddon gwelsom goed castan â'u holl gnau concars yn ddiffrwyth. Tybed ai'r rheswm oedd y sychdwr hir, a'r coed yn diosg eu ffrwythau i leihau'r angen am ddŵr?

**Coedan gwsberis – hi ddeilith gynta' a hi gollith 'i dail gynta'** Mae'n wir hefyd, a hawdd i hon fod yn llawn ffrwyth ganol Mai. (J.O.)

**\*eirin bwlat** Eirin duon bychain, melys – fel arfer yn goeden gwrych (*prunus domestica insititia*, S. *bullace*).

**eirin tagu** Eirin duon mân, sur a wnânt win. Ffrwyth y ddraenen ddu.

**hel llus** Bydd pobl yn hel mwyar duon o hyd ond tybed a ddeil arferiad merched y fro gynt o fynd yn griw ddiwedd Gorffennaf i hel llus ar y topiau fel Yr Eifl?

**llygeirion** Byddai teulu Mam – teulu Pentyrch, Llangybi – yn hel llygaeron (S. *cranberry*) tua rhosydd Ynys Creua i wneud **cacan lygeirion** flasus. Ffrwythau tebyg i lus ond yn binc, yn tyfu'n glos ar lawr yn y mign. Aeth y llwyn yn brin wedi sychu cymaint o'r tir.

**fel cornchwiglan** Am lais wedi crygu. Nid colli'r gwlyptir yw'r unig reswm am ddiflaniad y deryn hoffus yma (sef cornicyll yn y de) o gofio'n bod ninnau'n arfer hel ei wyau i'w ffrïo! (Nid oedd cystal blas ar wyau gwylanod, er y byddai llanciau Nefyn yn mentro'u hel ar raff uwchben y môr ar Garreg y Llam.)

**fel iâr y gors** Llais cryglyd eto. Lleisio ambell glwcian clir a wna'r adar a eilw rhai yn iâr y gors, sef cwtiar a iâr ddwr. Mwy addas efallai fyddai galwad gras yr aderyn a elwir weithiau yn gafr y gors sef y troellwr / nyddwr.

**fel ragarug** Llais di-daw ac undonnog, fel ceiliog rhegen yr ŷd â'i alwad ddeublyg gras a pharhaus fel crafu gewin ar grib. Ond mae pawb yn colli'r sŵn od o hudolus ganol haf yn y cae gwair aeddfed gynt, sy'n silwair heddiw. 'Fe'i gwêl a wêl y gwynt' meddai R.Williams Parry am y deryn swil yma.

**fel sgrech goed** Dynes uchel ei chloch.

**fel criciedyn** Am blentyn bywiog swnllyd.

**cydio fel gelan**

**dŵr coch** Cred ffermwyr bod gelod yn achosi dŵr coch sef piso gwaed ar wartheg. Gall sefyll mewn dŵr ar wres neu hyd yn oed dan goed hefyd ei achosi; mae ambell le coediog yn cael ei gyfrif yn lle drwg am hyn. (H.E.J.)

**cynnas fel pathew** Math o lygoden (S. *dormouse*) sy'n mynd i gysgu yn ei nyth yn ystod y dydd a dros y gaeaf. Gwelwch ei hôl yn y twll crwn glân mewn cnau cyll.

**cyplu gwningod** Cyn y clwy' creulon *myxomatosis* yn ail hanner y pumdegau byddai cwningod gwyllt yn niferus iawn ac yn difetha cyrion cnwd o ŷd neu foron. Ond roeddent yn fwyd rhad a blasus wedi eu berwi, neu eu lledferwi ac yna'u ffrïo, ac roedd marchnad barod iddynt. Wedi eu lladd, y dull o'u cario ar feic neu eu hongian oedd gwneud hollt â blaen cyllell yn un o'r garrau a gwthio'r droed arall drwyddi i gysylltu'r coesau ôl. Wedyn plethu coesau un wningen drwy goesau un arall i'w cyplu. Arferem fynd â gwningod (ar y bws ysgol weithiau) fesul **cwpwl** i'r dre, i siop gigydd Cornelius ar gornel y Maes neu siop Miss Clark yn Stryd Moch. Caem ddeuswllt neu hanner coron y cwpwl, oedd yn arian da iawn yn y pumdegau.

Ond y brawd hynaf oedd yr heliwr yn tŷ ni ac i orsaf Abererch yr oedd o'n mynd â nhw, bob nos ar y beic. Yno roedd Ifan Owen yn gweithio, a byddai'r gwningwrs yn mynd â'u llwythi iddo erbyn y trên nos ac yntau'n eu gosod mewn bocsus â rheilen drwy'r canol i ddal y cyplau. Ifan ei hun fyddai'n talu, yn ôl y farchnad. Mae'n siŵr ei fod wedi'i deall hi ac yn arallgyfeirio cyn i neb feddwl am y fath air. (R.D.J.)

**cysgu fel twrch** Cysgu'n drwm.

**cysgu ci bwtsiar** Bod yn lled effro, fel y nesaf.

**cysgu llwynog**

**huwcyn cwsg** Pwy yw'r Huw yma ddaw â chwsg i lygaid plant bach?

**daear moch daear**, ll. **daeara'** Eu cartref dan ddaear, fel **daear gwningod**, ond ffau llwynog (gw. Bedwyr L. Jones, *Blas ar Iaith Llŷn ac Eifionydd*, t. 18).

(**Ymhell y bydd llwynog yn lladd**) Dywedir hyn wedi i rywun wneud drygioni oddi cartref.

**\*derw du** Bonion coed a geir mewn mawnog sy'n hen iawn, yn ganrifoedd oed.

**coedan mwnci** Y goeden ddiddorol S. *monkey puzzle* (am ei bod yn anodd i'w dringo).

**jacan** Masarnen, sycamorwydden. Un o'r rhesymau am ei llwyddiant yn ymsefydlu mor eang yn y wlad yma yw'r hadau â'r adenydd difyr i chwyrlio draw fel hofrennydd.

**drewi fel ffwlbart.**

**('Chlywith ffwlbart 'mo'i ddrewi 'i hun)**

**d'w'ddiad da yn 'i manag hi** Dywediad am fuwch yn **d'w'ddu** (dywyddu neu dowyddu) sef yn barod i fwrw llo, neu gaseg i ddod ag ebol, a'r esgyrn yn gollwng a'r faneg yn llacio.

**bwrw llo** Buwch yn geni llo.

**yn gyfeb** Cyfebr, am gaseg â chyw ynddi.

**cyflói** Rhoi heffer neu fuwch efo'r tarw. "Ro'n i am werthu, ond dwi'n meddwl mai cyflói 'nawn ni." Mae'n air am y beichiogiad hefyd, wrth gwrs; os na fydd hi'n gyflo dywedir nad yw 'wedi cyflói'.

**yn gofyn tarw** Buwch yn barod i gael ei beichiogi.

**yn gofyn baedd** Hwch yr un fath.

**llestar** Croth fewnol caseg a buwch yw'r llestr.

**cengal** Strap lledr am ben-ôl buwch rhag bwrw'i brych.

**llydnu** Caseg yn bwrw'i hebol. Anifail ifanc yw llwdn.

**manag** Croth fewnol dafad a hwch, a rhan allanol croth caseg a buwch.

**mwsal** Cawell weiren am safn llo bach rhag iddo geisio sugno bogail llo arall, neu weithiau rhag iddo fwyta gwair, tra gall yfed drwyddo. Ceir mwsal ar gyfer ci sy'n brathu hefyd. S. *muzzle*.

**swynog** Buwch wag.

**Paid â dwrdio ci sy'n brathu**

**yn gacan o bridd** Trwch o bridd ar raw neu esgid.

**wedi sychu'n gacan** Rhywbeth wedi sychu'n ddarn caled.

**hel gleuod** Hel baw gwartheg wedi sychu'n grimp ar gae yn danwydd i gynnau tân yn y gegin foch neu dan y foelar. Er bod sôn am wneud yn y dyddiau gynt, byddent yn ogleuo gormod i'w llosgi yn y tŷ! Maen nhw'n ddefnyddiol i'r pysgotwr i hel pryfaid genwair oddi tanynt.

hel gleuod

**Mi ganith y gog arnat ti eto** Cysur mewn rhyw galedi neu drybini.

**Mae o fel cyw gog** Yn gryf a bywiog, yn aml am rywun yn gwella.

**Glywsoch chi'r gog eto?** Cwestiwn cyfarwydd, yn y wlad o leiaf, ond erbyn hyn diau bod y wennol gyntaf yn arwydd mwy cyson o'r gwanwyn.
Nid yw'r gog mor hawdd ei chlywed ym mis Mai ag y bu am ryw reswm, heb i chi fynd i ryw wern neu ros helyg diarffordd. Er mor ddidostur ydyw'n dodwy ei wyau yn nythod adar eraill (siani lwyd, ehedydd, pibydd y waun ac yn y blaen) a'r rheiny'n gorfod lladd eu hunain am wythnosau i fwydo'r hen gyw mawr wedi iddo wthio'r cywion bach eraill o'r nyth, ni fyddai'r haf yr un fath hebddi!

**yn glir fel haul**

**yn glir fel mwd** I'r gwrthwyneb, h.y. aneglur.

**yn gweu drwy'i gilydd fel morgrug**

**fel morgrugyn** Yn brysur iawn.

**tocyn morgrug,** ll. **tociau m.** Cartref y morgrug coch (*formica rufa*) ac arwydd da bod y tir heb ei drin ers amser maith, os erioed. A mwya'r tocyn, hynaf ydyw, felly bydd tocyn mawr yn un o'r pethau hynaf oll yn ei ardal.

**heb gysgod cawnan** Enw da am dir amlwg digysgod.

**dwnan\*** Tywyn. Defnyddir yr enw unigol fel hyn am lain o dwyni tywod uwch glan y môr. Enw cyfarwydd i gariadon erioed!

**llambedyddiol,** ll. **llambedyddiols** Llamhidydd (S. *porpoise*) wedi troi ar lafar dan ddylanwad y lluosog, llamhidyddion. Tueddwn i alw'r enw yn amhriodol ar y dolffin hefyd oherwydd y drafferth a gawn i wahaniaethu rhwng y ddau.

(Mae'r llamhidydd yn llai o'r hanner, heb dalcen uchel, ac yn torri'r dŵr heb neidio'n glir ohono.)

**swalpio** Pysgodyn yn llamu o gwmpas ar y dorlan.

**Pan ddaw'r milfyw o'r ddaear 'neith y bustach du ddim llwgu** Enw arall ar y milfyw (Ll. *ranunculus ficaria*, S. *lesser celandine*) yw llygad Ebrill, enw del ond camarweiniol braidd gan ei fod yn un o'r cyntaf i flodeuo tua dechrau Mawrth neu weithiau cynt.

(**Nid wrth ei big y mae prynu cyffylog**) Hynny yw, peidier â barnu dim yn ôl ei olwg, fel yr aderyn gêm â'r pig hir.

**drwdan★**, ll. **drwdws★** Drudwen, drudwy.

**gwalchan★**, ll. **gwalchod★** Mwyalchen.

**penfelan** Penfelen neu bras melyn.

**picoch★** Pioden y môr, y mwyaf amlwg a swnllyd o rydyddion y glannau.

**sneipan** Gïach. S. *snipe*.

**Mae o fel pechod: unwaith ceith o afa'l, mae'n anodd ca'l gwared arno fo** Dywediad am gwlwm y cythraul (Ll. *convolvulus arvensis*, S. *field bindweed*). (M.C.)

**pla ffarmwr** Llysiau'r gymalwst (S. *ground-elder*), sy'n bla i'r garddwr hefyd.

**fel pelican ar ben 'i hun** Neu **yn sefyll fel pelican** e.e. aros yn hir am rywun.

**wedi rhewi'n gorn**

**rhoid o-bach** Rhoi mwythau â chledr eich llaw i anifail (neu blentyn). Dim syniad o ble y daeth, os nad o'r ebwch "o-o!" hoffus a wnawn ni wrth fwytho fel hyn.

**Mae o fel soeglan** Am dir gwlyb sydd fel tonnen neu siglen.

**lle soeglyd** Tir gwlyb. Defnyddir soeg am amrywiol bethau gwlybion.

**tân bach diniwad** Chwilen fach a oleua'n wyrdd yn y nos, S. *glow-worm*. Y fenyw sy'n goleuo fwyaf llachar ac yn dringo ochr clawdd neu i ben gweiriau a chwyn i ddenu'r gwryw, sy'n medru hedfan i chwilio amdani. Un nos o haf gwelsom olygfa brin a bythgofiadwy sef degau ohonynt efo'i gilydd ar ben y gwair ym mynwent Bronant, Ceredigion, fel sêr.

**\*torri ar y llo** Torri ar (nid torri) ddywedir am gyweirio anifail gwryw.

**c'weiriwr** Arbenigwr a alwai os oedd angen, er mai'r ffermwr ei hun a wnâi'r gwaith yn aml.

**fel traed brain** Llawysgrifen flêr.

Sôn am frain, clywodd ein brawd unwaith gynnwrf a chrawcian mawr brân tu ôl y gadlas gartref, a dyma welodd: *"Gan bod brain yn fy meddwl i yn un o'r adar mwya' cyfrwys a chall, es yno'n ddistaw, at giât y weirglodd. Beth oedd yno ond brân yn dal cudyll neu un o deulu'r bwncath neu debyg ar lawr, a'r frân arall 'ma oedd yn gwneud yr holl sŵn yn sefyll ryw ddwylath oddi wrthynt a'r olwg fygythiol 'ma arni. Es drosodd a chododd yr hen gudyll a'r brain ar ei hôl am gorsydd 'Dynog."* (H.E.J.)

Beth oedd yr heliwr a gafodd ail, tybed? Hebog tramor neu gudyll glas, mae'n debyg (un ifanc efallai) – os nad oedd yn gyw gwalch marth ar sgawt brin o goed Broomhall.

Gwelodd un ohonom ninnau ddewrder hynod y llynedd ar lynnau Bosherston ym Mhenfro, sef iâr hwyaden wyllt yn ymosod ar alarch. Roedd yr hwyaden a rhes o gywion del ar ei hôl wedi nofio allan o'r hesg i'r dŵr agored, a dyna alarch dof yn hwylio atynt yn fusneslyd. Rhuthrodd yr hwyaden amdano nes oedd y llyn yn trochioni, a dal i gwacian a churo'i hadenydd yn wyllt nes i'r cywion bach gyrraedd yn ôl yn saff i'r hesg, yna trodd hithau a brysio ar eu holau o'r golwg. Ac wedyn dyna'r alarch yn ymsythu'n ymffrostgar a sefyll yn ei lawn hyd ar wyneb y dŵr gan chwifio'i adenydd mawr yn ddig – braidd yn hwyr, ond gwyddem sut oedd o'n teimlo!

**\*tyrra' tyrchod daear** Pan geir clwstwr o'r tociau isod tybiwn y caent eu galw'n dyrrau. Y lluosog yn unig a geir; ni fyddwn yn galw un tocyn yn dwr.

> **tocyn twrch daear, ll. tocia'.** Mae'n anodd gweld y twrch wrthi ond gŵyr y tyrchwr ei fod yn gwneud y tociau ar adegau penodol o'r dydd – yn y bore tuag wyth o'r gloch, ac yn y pnawn tua thri. Wedi tyllu bydd yn gwthio'r pridd i fyny fesul tua thri phwniad; erbyn y trydydd, mae'n agos iawn i'r wyneb. (H.E.J.)

**tywyll fel bol buwch ddu**

> **sgragan** Buwch denau esgyrnog. Weithiau hefyd am ddynes, druan!

# Ffarmio a Garddio

Nid oedd diben i ni gynnwys gormodedd o eirfa trin y tir gan bod hel garw wedi bod arnynt yn ddiweddar yn y cylchgrawn *Fferm a Thyddyn* ac, wrth gwrs, ym mhedair cyfrol gynhwysfawr Huw Jones, *Cydymaith Byd Amaeth*. Nid ydym wedi cynnwys llawer o eiriau technegol o'r herwydd, ond mentrwn gynnwys dyrnaid oedd yn swnio'n ddiddorol i ni, neu yr oedd gennym rywbeth bach i'w ddweud amdano.

**cadw pentiriaeth** Byw yn y tŷ am ddim a gweithio am lai o gyflog i berchennog absennol.

**dal tir** Rhentu tir i'w ffarmio.

**\*carchar corn** Llyffethair ar fuwch, o'r goes i'r corn.

**carchar** Tennyn byr o un goes flaen i goes ôl dafad neu afr rhag iddi grwydro.

**Mae o'n fistar corn arno** Efallai mai'r carchar corn yw sail y dywediad.

**strap** Carchar lledr tua llathen o hyd i atal buwch odro rhag cicio. Ei roi efo dwy law am y goes ôl bellaf oddi wrthych, yna'i groesi dros ei gilydd, ei roi am y goes agosaf a'i fwclu'n dynn. Clywsom ei fod yn 'gythra'l o fistar'.

**cefn 'nionod** Gwely neu gefn lletach na rhes, i dyfu wynwyn yn yr ardd.

**cefn** Rhes rhwng rhychau pridd yr ardd â'i phen yn wastad i hau neu blannu llysiau.

**wedi hedag** Llysiau fel moron, betys, riwbob, wynwyn a seifis wedi 'ehedeg', sef gordyfu a blodeuo gan fynd yn wydn.

**seifis** Cennin syfi. S. *chives*.

**\*claw' glân** Clawdd wedi'i farbio.

**barbio** Eillio tyfiant canol haf ar glawdd yn glos i'w gadw'n daclus a rhag i'r bonion dyfu a llacio'r pridd. Byddai rhai'n trafferthu mynd i newid ar ôl cwrdd yn y neuadd neu'r capel ar noson waith yn yr haf, yna allan i farbio yn sawr ffres y mieri. Dyna'r darlun a erys o Owen Jones, Rhedynog Isaf yn cerdded yn ei ôl am adref â'i ddwylo ymhleth yn ei freichiau a'i gryman yn ei law dde yn pwyso ar ei fraich chwith. S. *barb*. (H.E.J.)

**brwgaitsh** Tyfiant gwyllt y gwanwyn neu'r haf, ym môn clawdd ran amlaf. Adeg y cynhaeaf câi ei dorri a'i daenu'n sail i das wair neu ŷd. S. *brockage*.

**wedi cau** Tyfiant wedi mygu a chau dros glawdd.

**llnau ffos** Glanhau neu glirio ffos o laid a thyfiant.

**\*claw' un wynab** Clawdd â chodiad tir ar un ochr iddo.

**orglawdd\*** Yr un ystyr i ni. Gweler geiriau tebyg yn GPC, fel gorchlawdd / gorglawdd / gwarglawdd.

**\*cae pawb** Cae cyhoeddus a gofiwn lle mae stâd Bro Siôn Wyn bellach yn Chwilog. Dyna enw'r gerddi cymunedol ym Mhorthmadog hefyd, enw naturiol da am y S. *allotments*.

**cae bra'nar** Braenar, tir wedi'i **fraenaru** sef ei aredig a'i lyfnu yna'i adael heb ei hadu. Ceir tyddyn o'r enw yma ger Llangybi Stesion.

*Ar gychwyn i'r capel! O'r chwith: Tada, Gwilym, Mair, Huw a Robin, a bach
y nyth, Nan – a'r Austin 10, CLK 574. 1956 oedd hi.*

*Bryndewin, o dir Ty'n Rhos Penarth, a Mynydd Carnguwch a'r Eifl yn y
cefndir, Gwanwyn 2004. Mae Ty'n Rhos rhyngom â Phenarth Bach, cartref
teulu'n hewyrth Isaac, brawd ieuengaf 'Nhad. Roedd y brawd arall, John, yn
byw yn Chwilog, filltir i ffwrdd.*

**cae dan tŷ** Ceir un ar bob ffarm bron, lle cyfleus i droi anifail o'r beudái.

**cae duntur** Fel mewn llawer ardal arall, ceir un nid nepell o'r Pandy yn Chwilog. Yno'r oedd y deintur, rhes o bolion a chlwydi â bachau arnynt i daenu brethyn newydd yn dynn iddo sychu'n wastad. S. *tenter, tenterhooks*.

**cae eithin** Pan welwch yr enw yma gallwch fentro'i fod yn cadw'r cof am yr oruchwyliaeth isod. Cnwd aeth allan o'r ffasiwn ond oedd yn faethlon dros ben ac wrth fodd y ceffylau. Tybed a ddaw'n ôl rywbryd?

*****bwyd mân** Bwyd i geffylau gynt o flawd cartra ac eithin glas ifanc a gwellt a falwyd yn yr injan eithin.

*****poncia' eithin** Ceir ponciau hirion fel hyn yn y we'rglodd isa' acw, olion rhesi o eithin mân, a chofiai 'Nhad yn hogyn helpu Taid i dorri'r eithin a'i falu efo blawd cartra. Mi welir o hyd lefydd â rhes o'r gwrymiau isel yma, yn enwedig ar lethrau ac ar rosydd. Byddent ar dir da hefyd ond gwnaed y caeau yn fwy gwastad bellach.

**cae sofl** Cae bonion gwellt ar ôl o'r cynhaeaf ŷd.

**clwt o gae** Am gae bychan. Fe'i gwelir yn enw'r ffarm, Mur Clwt Lloer ('lle oer', mae'n debyg).

**craman o gae / crawan o gae** Cramen neu grawen yw lle heb ddyfnder daear. Dyna yw gweirglodd hefyd gyda llaw, tir pori parhaol â chrystyn rhy denau i'w drin o hyd.

**lloc** Cae bychan i droi anifail allan iddo yn y gaeaf, er enghraifft i gael dŵr o ffrwd neu ffynnon ar ôl godro.

**strimyn o gae** Cae hirfain.

**claddu tatws** Claddu llwyth o datws, neu foron, maip a swej mewn tas bridd neu gladd dros y gaeaf.

**cladd** Dyma sut y bydd y garddwr a'r ffarmwr yn cadw'r llysiau'n sych ac yn saff rhag y rhew. Gosod sail o redyn tua dwylath o hyd a thua dwy droedfedd a hanner o led, a gwely trwchus o wellt ar ei ben. Adeiladu tas hir bigfain o'r llysiau ar y gwellt, a'u gorchuddio â thrwch arall o'r gwellt ac yna rhedyn. Wedyn codi to pridd dros ddwy droedfedd o uchder, gan ei galedu â chefn rhaw fel y bydd glaw yn llifo o frig y cladd i lawr y ddwy ochr.

**rhes** Y cefn rhwng rhychau tatws yn y cae, fel grwn yn y De.

**silod** Enw lluosog ar datws rhy fân i drafferth eu hel o'r pridd. (Enw hefyd ar unrhyw beth sydd heb brifio – mân bysgod afon, er enghraifft.)

★**y c'naea' coch** Tymor cynhaeaf y sgrwff yn yr hydref.

★**tas sgrwff** Bydd y das rywle yn y gadlas yn gyfleus i'r beudái, o frwyn a rhedyn o'r gweunydd wedi'i gynaeafu ar gyfer gwely (rhatach na gwellt) i'r anifeiliaid yn y gaeaf.

**troi rhaff** Ar gyfer toi tas allan fel hyn roedd angen dau i wneud rhaffau main, un i fwydo'r gwair neu wellt ac un i blethu gyda'r pren troi rhaffau. Gellid cydblethu mwy nag un rhaff fain pan oedd angen rhaff dewach.

**pren troi rhaffa'** Gwnâi un amrwd y tro'n iawn â dim ond hoelen drwy'i flaen i fachu'r gwair. Ond roedd rhai yn waith saer crefftus ac yn esmwyth i'w dal; mae rhai felly yn gasgladwy heddiw.

**c'naea' gwair** Diflannodd geirfa oesol ganol y ganrif gyda'r chwyldro mecanyddol sy'n para o hyd. Ni wnaeth y geiriau byrnwr na byrnau gydio am y **belar** a'r **bêls** bach, a'r **bêls**

**crwn** mawr, a ddengys mor anodd yw Cymreigio peth newydd ag arno enw Saesneg yn barod. P'run bynnag, dan y drefn o dorri cnydau cyson yn las yn silwair (enw sydd *bron* â chydio ar lafar am **seilej**!) prin bod tymor y cynhaeaf mor bwysig ag y bu, na'r tywydd hyd yn oed. Dyma'n geirfa ni, yn ôl trefn y gorchwylion:

**gwair gwndwn** Gwair da, mwy blasus na gwair rhos a gweirglodd.

**gwair picso'l** Pigsofl, y gwair ifanc cyntaf ar ôl ei hadu.

**gwair rhos** Gwair sâl a chrawcwellt a gaiff ei hel efo brwyn yn y sgrwff uchod.

**gwair we'rglodd** Gwair byr o dir tenau, a adewir i'w bori fel rheol.

**gwana'** Lled llafn o wair wedi'i dorri yw gwanaif, ac un o'r ychydig enwau sy'n cael ei ddefnyddio o hyd.

**troi gwair** Wedi gadael y gwaneifiau ar lawr i **gynaeafu**, eu troi drosodd i gynaeafu'r ochr arall efo'r **trowr**; gwaith i gribin cyn hynny. Mae llawer yn Llŷn ac Eifionydd a thu hwnt yn cofio'r cribiniau da o Hendre Bach, rhai dannedd pren â bôn y goes yn hollti'n dair.

**chwalu gwair** Ysgwyd y gwaneifiau yn rhydd i'w sychu, efo picwyrch neu'r peiriant **chwalwr gwair**.

**mwdwl** Os oedd y gwair bron yn barod, neu'n barod ond y tywydd ddim yn saff i **gario gwair**, câi ei **fydylu** yn dociau crwn i gadw'n sych ar y cae. 'Mi gawn ni o i fwdwl,' meddid pan fyddai golwg wan arni ac yn ymyl bwrw. I ni'n ifanc roedd hyn i'w weld yn andros o job, ond ei gael yn dda oedd yn bwysig. Byddai mwdwl bach sydyn, rhyw ddwy neu dair fforchiad yn ddigon a byddai'r gwair yn cadw am ddyddiau ar dywydd gwlyb. Wedyn pan ddôi diwrnod gwair, dim ond tro bach oedd eisiau ac ni fyddai fawr o dro'n sychu, wedi cadw'n sych oddi tano a'r ansawdd yn dda. (H.E.J.)

**cribin 'lwynion** Peiriant cribin haearn a dynnid gan geffyl (ac yn ddiweddarach gan dractor) gyda dwy olwyn, sedd i eistedd, a lifar i reoli'r dannedd hir i hel y gwaneifiau sych, h.y. y rhai heb eu mydylu.

    **lympio★** Codi dannedd y gribin olwynion i ollwng y gwair. Dywedir yr un peth am godi pen blaen trol a threlar neu gefn lorri i ollwng llwyth ar lawr.

**cribin delyn** Cribin bren fawr â dannedd haearn cam a'i choes yn hollti'n ddwy. Roedd un yn crogi'n segur ar wal y beudy gartref ond mae gennym gof cynnar iawn am 'Nhad yn ei llusgo'n llafurus i orffen llnau cae cynhaeaf. Tynnid hi hefyd i hel gweiriach o le rhy anwastad neu wlyb i gribin olwynion, a gwelsom Ellis Williams yn ei thrin ar y ddôl ar lan afon Dwyfor yn Tyddyn Mawr ym mlaen Cwm Pennant.

**rhenc**, ll. **rhenci** Rheng, rhes drwchus o'r tociau hynny'n barod i'w dyrru. S. *rank*.

**twr**, ll. **tyrra'** Pob rhenc wedi'i **thyrru**'n domen yn barod i **gario gwair**.

**castall★** Hel mydylau sych at ei gilydd i'w **castellu★** ar gyfer eu llwytho.

**llwytho** Codi llwyth o wair rhydd neu fêls ar drol a threlar.

**llwythwr** Un ar ben y llwyth â'r grefft o'i adeiladu'n uchel a diogel.

**congol** Cowlad o wair ar gonglau pob haen o lwyth gwair rhydd.

**ysgwydd** Cowlad arall ar war pob congol i'w **sadio**.

**llanw** Y baich sy'n llenwi canol y llwyth er mwyn sadio'r ymyl.

**Sadia!** Bloedd o rybudd i'r llwythwr eu bod ar gychwyn symud.

**sathru** Y llwythwr yn cerdded yn drwm ar ben y llwyth i'w galedu. Dyna'r cyfarwyddyd a gâi llwythwr ifanc o hyd: 'Sathra fo!'

**jygyn** Llwyth bychan o wair, yn aml y peth olaf yn y cae. 'Faint sy' ar ôl yn Cae Mawr dywad?' – 'O, rhyw jygyn'.

S. *jag* – yn enwedig yn America, yn ôl geiriadur yr Academi.

\*codwr gwair Peiriant ysgol symudol (S *hayloader*) i godi gwair a bêls, yn y tŷ gwair yn bennaf ac weithiau yn y cae at lwyth bêls uchel. Fel y trowr a'r chwalwr mi gydiodd hwn ar lafar am ei fod yn enw naturiol.

ffagio (1) Y gwaith chwyslyd o sathru gwair rhydd i lawr wedi'i gario i ben y gowlas newydd yn y tŷ gwair. (2) Gwneud llanastr wrth gerdded drwy gnwd o wair (neu ŷd) aeddfed.

cyllall wair Cyllell fawr lydan â'i charn ar ongl i wthio i lawr arni i dorri gwair cowlas i borthi'r anifeiliaid yn y gaeaf.

trenglan Trwch o wair gwasgedig o'r gowlas wedi'i dorri i ddyfnder y gyllell. Awgryma GPC ei fod yn tarddu o 'treiglo', a cheir prawf go dda o hynny pan soniwn am geffyl yn ymdrenglan (gw. adran Byd Natur).

cwtar / cwterydd Nid ffos yn y cyswllt yma ond drws bach mewn clawdd cerrig, tua dwy droedfedd a hanner o uchder, i adael defaid o un cae i'r llall (er nas galwem yn gwter defaid). Ceir un ar dir ein cartref rhwng y cae-dan-lôn a'r cae canol.

Mwy diddorol yw'r rhes o gwterydd crefftus yng nghlawdd cerrig y mynydd ar ochr orllewinol Garn Bentyrch, uwchben Ffynnon Gybi. Tybiem mai ar gyfer defaid yr oedd y rheiny hefyd, ond pan gyhoeddwyd *Adar Dof Cymru Fu*, Carreg Gwalch, 1997, un o gymwynasau lu'r naturiaethwr Ted Breeze Jones, wele luniau cistiau cerrig a alwai yn dyllau gwyddau ac yn eu plith ddau o Garn Bentyrch. Sonia Ted am yr arferiad o bori gwyddau gyda defaid, a dywed y byddai gan rai pobl yr hawl i gadw gŵydd yno.

(Cynta'i ôg, cynta'i gryman)

219

**dragar\*** Og â chrafangau llydan i drin yn ddyfnach e.e. ar gyfer tatws.

**llyfnu** Chwalu'r pridd yn fân ar gyfer hau.

**og biga'** Yr og bigau sy'n llyfnu'r pridd bras wedi'i aredig.

**og tsiaen** Rhwyd ddeuddarn o lings haearn i'w llusgo ar gae i lyfnu tail. Defnyddid un hanner ohoni (llai o bwysau) hefyd ar ôl hau hadau bach – sef gwair – i gladdu'r had rhag eu bod ar yr wyneb. Mae hon ar waith o hyd gan rai. (H.E.J.)

**sgyfflar** Og i grafangu chwyn oddi ar res o lysiau. S. *scuffler*.

**yn chwys doman dail** Estyniad o **chwys doman**.

**caff** Fforch â'i phedwar pig yn crymu ar ongl sgwâr i lusgo tail gwartheg o'r drol (neu drelar wedyn) ar ogwydd, fesul tocyn ar y cae. Cafwyd golygfa o'r teilo efo Don Garreg Ddu ar raglen deledu Dai Jones, *Cefn Gwlad*.

**chwalu tail** Gwasgaru'r tociau tail ar y cae gwair.

**chwalwr tail** Peiriant a wnaeth y llafur yn ddiangen. S. *muckspreader*.

**Dechra' wrth dy draed** Cyngor i blentyn sy'n gofyn ble i ddechrau **hel cerrig** ar gae gwair ifanc, sef hel y rhai brasaf efo pwced i ddiogelu cyllell injan dorri gwair.

**(Rhaid cropian cyn cerdded)**

**d'wrnod dyrnu** Un o ddyddiau mawr y flwyddyn, pan ddôi'r **dyrnwr** neu'r **injan ddyrnu** i'r gadlas wedi'r cynhaeaf ŷd i wahanu'r grawn o'r gwellt. Byddai grwnian y peiriant pren mawr i'w glywed dros yr ardal a'r sŵn yn hyrddio'n uwch pan gâi lond ei grombil. Roedd angen dwsin a rhagor o ddynion;

rhai ar ben y das ac ar y dyrnwr i estyn ac agor ysgubau a'u bwydo i safn peryglus y **drwm**, rhai'n cario'r sachau ŷd trymion i fyny grisiau cerrig y llofft 'sgubor, ac eraill yn clirio'r gwellt a'r **peiswyn** (llwyth o **us**, y croen ysgafn sy'n weddill o'r dyrnu). Dyna i chi newid – heddiw gwnaiff un neu ddau yr holl waith ar y cae efo'r combein!

**cinio dyrnu** Y sgram a wnâi'r gwragedd i'r criw ar y **bwrdd dyrnu** mawr. Achlysur hwyliog oedd hwn. Fel dyrnu yn Ty'n Rhos Penarth a'r merched yn pwyso'n arw ar y criw i gymryd rhagor. 'Dowch wir, b'ytwch.' 'Na, dim diolch,' meddai John Jones, Bryngwynt am yr eildro. 'Be' gym'wch chi, chwanag o frechdan?' 'Dim diolch.' 'Wel dowch, dwi'n siŵr bod chi isio r'wbath eto?' 'Oes,' meddai yntau, 'llonydd!' (H.E.J).

Byddem ninnau'n brysio adref o'r ysgol gan edrych ymlaen at de (ar ôl y dynion), bara gwyn a jam eirin ffres, bara brith a chacen blât. Byddai plant Ty'n Rhos yn dod acw efo ni, a ninnau'n cael mynd yno pan ddôi eu diwrnod dyrnu nhw. Gwell na'r un te parti!

**criw dyrnu** Y cymdogion a ddôi i helpu yn gyfnewid am wneud yr un gwaith iddynt hwythau neu am ryw gymwynas arall. Yr un cylch o ffermydd ar y cyfan a fyddai yn y criw bob hydref. A byddai'n dda cael yr holl nerth bôn braich yn gyfleus; roedd hi'n arferiad i fachu'r criw i wneud rhyw drymwaith fel symud cilbost neu beiriant ysgubor. (R.D.J.)

**ta'nu llia'n** Yr arferiad acw yn Bryndewin ar fore o dywydd go amheus oedd taenu cyfnas wen ar berth amlwg ger y tŷ – y ddraenen wen wrth giât y cae mawr – i hysbysu'r cymdogion os oedd dyrnu i fod. Ffôn symudol yr oes! Dyma'r dull o gyfathrebu mewn llawer man hyd nes daeth y ffôn. (R.D.J.)

**troi ar y bicwarch** Difyrrwch diwrnod dyrnu oedd hwn. Pawb â'i bicwarch i lawr yn y ddaear a'i dalcen ar gefn ei ddwylo ar ben y goes, wedyn troi a throi i weld pwy fedrai ddal ati hwyaf cyn meddwi a baglu ar draws ei gilydd. (H.E.J.)

**wedi gorfadd** Disgrifiad o gnwd yn gorwedd ar lawr wedi'i guro gan ddrycin. Deil ŷd wedi gorwedd i dyfu ond ni all godi'n ei ôl fel gwair, gan beri colli mwy o'r brig adeg y **c'naea' ŷd**. Nid yw'n gymaint o aflwydd wedi i'r combein olynu'r beindar.

**â'i draed i fyny** Ŷd oedd wedi gorwedd yn mynd â'i ben i lawr yn flêr wedyn yn yr ysgub.

**ar 'i tina'** Rhoi ysgubau ar eu traed wrth **stycio** sef gosod ysgubau â'u brig at ei gilydd yn dwr pigfain ar y cae. **Stwc chwech** neu **stwc naw** oedd yn arferol, h.y. chwe neu naw ysgub ynddo. S. *stook*.

**ŷd brigog** Cnwd trwm o ŷd, â'i **frig** (sef y tywysennau) yn drwchus.

**hollti tafod oen** Arferid hollti tafodau ŵyn i'w gwaedu. Wedi hyn roeddent yn dod yn eu blaenau ac yn twchu'n sydyn.

**blingo oen** Pan fydd dafad wedi colli oen mae'n arferiad cyffredin i flingo'r croen a'i glymu am gefn oen arall gan rwbio llaeth y fam arno, i beri iddi gymryd at hwnnw. Buwch a'i llo weithiau yr un fath.

Yn ôl un o fugeiliaid Cwmystradllyn, yr erfyn cyfleus i flingo yn y fan a'r lle gynt oedd carreg wedi'i hollti i gael ymyl finiog, felly dyna dechnoleg Oes y Cerrig yn effeithiol o hyd. (Emlyn P.)

**mamog**, ll. **'moga'** Dafad wedi dod ag oen.

**tocio** Daliwn i dorri cynffonau ŵyn ac ebolion er mwyn glanweithdra a iechyd.

222

**\*lôn las** Lôn drol drwy gae, heb wyneb cerrig arni.

**rhwtra\*** (1) Lôn leidiog gul rhwng cloddiau uchel i yrru anifeiliaid o'r caeau i'r buarth. (2) Yr ystyr a geir yn GPC, sef llaid a baw trwm ar lawr. Byddai 'Nhad yn dweud, 'Dew, mae'n un rhwtra 'ma, llneua fo wir.'

**Mae'r llestri gora' adra ar y silff** Clywir hyn mewn sioe, er enghraifft wrth edrych ar anifail da. Os dywed rhywun bod ganddo fo rai cystal gartref, clywir yr ateb: 'Ia, maen nhw'n d'eud bod y llestri gora' adra ar y silff.' (H.E.J.)

**Pan fo'r ddraenan ddu yn wen,**
**Tafl dy gyfnas dros dy ben;**
**Pan fo'r ddraenan *wen* yn wych,**
**Hau dy dir boed wlyb, boed sych**
I hau efo llaw mae'r heuwr yn dal cynfas (mae'r llythrennau f ac n yn cyfnewid ar lafar) o'i flaen wedi'i chlymu dros ei ysgwydd i adael y dwylo yn rhydd i daflu'r had ohoni bob yn ail law. Rhigwm defnyddiol iawn yw hwn i wybod pryd y bydd y ddaear yn ddigon cynnes i hau a phan fydd hi'n hen bryd! (Mae'r ddraenen wen yn blodeuo bythefnos a rhagor yn ddiweddarach na'r llall.) Dyma ffurf arall mwy ffwrdd-â-hi:

**Pan weli di'r ddraenan ddu yn wych,**
**Hau dy dir os bydd hi'n sych;**
**Pan weli di'r ddraenan *wen* yn wych,**
**Hau dy dir boed wlyb neu sych**

**ail-hadu** Aredig cae gwair a'i hadu o'r newydd.

**ceirch gog** Ŷd wedi'i hau yn hwyr.

**drul hada'** Dril un olwyn gafnog a wthir ar gefn rhych i hau llysiau.

**drul heu** I hau ŷd.

**ffidil** Blwch hadau â bwa drwyddo i hau dan gerdded.

**hadyd** Ŷd i'w hau neu datws i'w plannu.

**heu diweddar** Hau yn hwyr.

**heu hada' bach** Hau hadau gwair, weithiau'n gymysg ag ŷd i gyd-dyfu er mwyn cael gwair ar ei ôl (os mai'r haf hwnnw'n unig y byddai'n gae ŷd).

**heu llwch** Hau llwch gwrtaith, gyda'r **drul llwch**.

**rowlio** Treiglo **rowlar**, maen neu haearn hir trwm ag echel bob pen iddo, tu ôl i geffyl neu dractor i wasgu'r had i lawr gan galedu'r pridd (ac eilwaith ar gae ŷd wedi iddo egino gan lacio'r pridd). Ceid rowlar pren ysgafnach i galedu rhesi llysiau fel moron a betys.

**rhipio** Yr heuwr wedi methu llain o dir a hwnnw i'w weld yn noeth pan fydd y gweddill yn egino.

**Pryn ddafad, pryn dwca; er hynny pryn ddafad** Clywsom rai'n egluro'r dywediad drwy ddweud bod dafad yn fwy tebyg o gael rhyw anfadwch a marw, ond bod yn rhaid i'r ffarmwr wrthi yr un fath. Efallai bod ystyr y rhan gyntaf yn symlach na hynny sef y bydd pob dafad yn cael ei lladd yrhawg, yn wahanol i gaseg neu fuwch odro dyweder.

**dafad farus** Dafad grwydrol.

**defaid cadw** Defaid mynydd a gedwir ar ffermydd y glannau a'r iseldir dros y gaeaf o ddiwedd Hydref hyd ddechrau Ebrill. Mae gennym nodyn o'r tâl y pen a geid am hynny ddeugain mlynedd yn ôl yn 1964 sef tua decswllt ar hugain (£1.50). Tua £16 ydyw heddiw, gyda'r tâl yn amrywio yn dibynnu ar y nifer a'r pris uwch am famogau na hesbyrniaid.

**hesbwrn**, ll. **'sbyrniaid** Hesbin, dafad ifanc heb ddod ag oen.

**mudo defaid** Eu symud i rywle arall. Bu'n rhaid gadael llawer ymhell ac am gyfnod anghyfleus dan reolau caeth clwy'r traed a'r genau.

**ras / rasus cŵn defaid** Ymryson cŵn defaid.

**pwrs fel budda'** Am fuwch odro dda, yn llawn o laeth fel buddai.

**armel** Y llaeth cyflawn wedi **blaenio** wrth odro.

**blaeniad** Y llaeth gwan cyntaf wedi cronni yn y deth – y cathod sy'n cael hwnnw!

**godrag dda** Buwch yn godro'n hael.

**godriad** Ceid dau odriad y dydd, fore a nos. Clywir am rai yn Lloegr yn gwneud tri godriad (yn y parlyrau crwn diweddar efallai) gan dybio'u bod yn cael mwy o laeth, ond mae'n amheus pa mor llwyddiannus fydd hynny. (H.E.J.)

**hidlan** Gogr crwn mân iawn i hidlo llwch o laeth godro.

**llestri godro** Clywir 'llestri' am gelfi dal bwyd a diod, yn y tŷ ac allan.

(**Mwyaf trwst llestri gweigion**) Rhywun anwybodus sy'n uchel ei gloch.

**ticial / tical** Lled-odriad ychwanegol, mynd o gwmpas y buchod wedi godro i wasgu'r tethi'n wag fesul un. Byddai'r **dical** yn dewach llaeth ac fe'i cedwid weithiau i gorddi.

**'sbinwch ydi honna** Hwch hesbin, heb ddod â moch bach eto.

**ael o foch** Teulu o berchyll.

**hwch fagu** Hwch â moch bach.

**pwyntio** Pwyntio anifail e.e. pyrcs yw tewychu ar gyfer y farchnad.

**pyrcs** Moch ifainc.

**(Yng ngenau'r sach mae cynilo'r blawd)**

**\*blawd cartra** Ŷd wedi'i falu'n fras i'r anifeiliaid yn yr injan ŷd. Mae'r mâl yn fras am ei fod heb ei silio yn y felin.

**silio ŷd** Cyn malu ceirch yn **flawd ceirch** mân ar gyfer y teulu mae'r melinydd yn silio'r ŷd sef gwasgu'r rhuddin allan dan y maen melin.

**eisin** Plisgyn yr ŷd sy'n cael ei chwythu ymaith wrth silio.

**rheichion\*** Y llwch coch a wahenir oddi wrth y **siliad**.

**Sticia ffon yn y ddaear, a 'fydda' gofyn iti 'nhôl hi cyn nos ne' mi fydda' wedi tyfu** Sôn am dir cynnes Cill-airne (Killarney). (R.P.)

**dyfn dau ben rhaw** Disgrifiad o dir da iawn.

**tir rhywiog** Tir neu bridd hawdd ei drin.

**\*slipars lein** Coed â phyg yn eu cadw rhag pydru, sy'n ddelfrydol i gynnal gwely gardd neu i'r diben isod (a chant a mil o ddibenion eraill). S. *railway sleepers*.

**\*cil adwy** Y maen tal o boptu i adwy clawdd, yn dal llidiart neu beidio.

**postyn giât** Mae hwn yn disodli'r enw cil wedi cael y pyst pren â phyg, fel hen bolion teligraff a slipars lein.

**tennyn coch** Yn dewach na llinyn, trwch pensel bron. Fe'i defnyddid i gynnal coed pys ac ati, nes daeth y llinyn plastig cyfoes.

**troi allan / troi'r buchod allan** Gwartheg a lloi yn cael eu cadw i mewn drwy'r gaeaf, yna tua Chalan Mai yn cael eu gollwng i fod allan drwy'r amser. Dywedir ei bod yn saff i droi gwartheg allan *cyn* hynny hefyd – ar ôl y 18fed o Fawrth. Mae'n amlwg bod sail i ofnau gwyddonwyr am y twymo bydeang; mae'r gaeafau yn fwynach ers degawdau a chedwir gwartheg allan drwy'r gaeaf rwan yn enwedig y da duon Cymreig. (H.E.J.)

Mae'n werth gweld anifeiliaid yn rhedeg a neidio'n hurt wedi'r caethiwed hir. Tybed ai dyma un o seiliau'r traddodiad **ffŵl Ebrill**, efallai wedi cymysgu â hen goelion tymor y Pasg?

**beichio\*** Sŵn griddfan uchel a wna buwch ar fin geni llo. Os digwydd ddod â llo yng nghanol buchod eraill, byddant hwythau'n beichio yn ogystal, ond yn fyrrach. (H.E.J.)

**bugunad** Brefu uchel yw ei ystyr, a thybiwn inni ei glywed un ai am sŵn gwartheg rhydd yn brefu dros y wlad neu efallai yn briod-ddull am rywun yn gwneud sŵn tebyg.

**buwch froc** Buwch goch a gwyn. **Buwch frith** yw un ddu a gwyn a **buwch las** yw un lwyd!

**dynewad**, ll. **dynewid** Dynewaid, eidion dan ddyflwydd oed (bustach fydd o wedyn). Yn ôl GPC nid yw'n tarddu o ddeunaw mis oed fel y gallech dybio ond o dynawed, dyniawed.

**walia' sych** Yr enw cyfoes ar y cloddiau cerrig sy'n gyffredin ar y tir uchel, llawer ohonynt yn werth eu gweld. Gwelir rhai da, weithiau'n chwe troedfedd o led, o'r trên drwy arfordir Ardudwy. Dywedir bod llawer ohonynt wedi eu codi gan y llu o gyn-filwyr o 'ryfel Boni' (yn erbyn Ffrainc a Napoleon) a ddychwelodd yn ddiwaith ar yr union adeg yr oedd y tirfeddianwyr wrthi'n cau tiroedd comin y werin bobol. (Gw. *Cau'r Tiroedd Comin*, David Thomas a *Cwm Eithin*, Hugh Evans.)

Daeth mynd eto ar gau waliau cerrig; mae cymhorthdal sylweddol ar gael i'w hailgodi a'u cadw am ganrifoedd eto, sy'n beth da iawn. Yn ogystal â bod yn gysgod a therfyn maent yn dda i natur, yn lloches i flodau a llu o greaduriaid fel madfallod a nadroedd, llygod a phryfed, a nythod adar fel sigl-di-gwt ac yn enwedig tinwen y garn, un o'r cyntaf i gyrraedd a chwilio am le yn y gwanwyn.

**cau\*** Y grefft o ail-lenwi bwlch mewn clawdd neu wal. Mae clawdd pridd yn cael ei gau â haenau ar yn ail o gerrig a thywyrch glas bob ochr i'r clawdd, a phridd yn y canol. Bydd y tywyrch yn tyfu ar eu hunion o'r clawdd os cawsant eu cloddio yn y modd priodol – nid gwthio rhaw ar ogwydd dan y dywarchen fel y tybiech, ond torri tafell yn syth at i lawr fel bod y gwraidd yn gyfan a'r borfa yn wynebu allan ar y clawdd.

**cauwr\*** Crefftwr cau cloddiau.

**y Wâr Ag** Cymdeithas i ddosbarthu bwyd anifeiliaid a llogi peiriannau o lefydd canolog adeg yr Ail Ryfel Byd, gan barhau am rai blynyddoedd wedyn. Roedd Chwilog yn un o ganolfannau'r sefydliad yma â'i stordy ger y rheilffordd a'r corlannau anifeiliaid islaw tafarn Madryn.

A dyma stori am Bob Owen, Croesor yn Eisteddfod Genedlaethol Bae Colwyn, 1947. I. B. Griffith yn arwain noson lawen a neb o'r perfformwyr wedi cyrraedd, a'r arweinydd druan yn gweld gwaredigaeth yn y gynulleidfa sef Bob Owen, ac yn gofyn iddo ddod i fyny i ddweud gair. Gair! Aeth Bob ymlaen am awr ac I.B. yn methu â'i dawelu, a chefn y llwyfan erbyn hynny'n llawn. Soniodd am y Wâr Ag. Un haf, roedd pawb bron wedi cael eu cynhaeaf a thir uchel Cwm Croesor yn un o'r llefydd diwethaf. Daeth y Wâr Ag â llwyth o beiriannau i ffarm bach yng Nghroesor – y fath nifer, meddai Bob, 'nes oedd hi fel regata mewn pot piso'! (D.P.)

**weiran llwgu – dim byd ochor yma a digonadd ochor arall**
Disgrifiad Robert Jones, Tyddyn Iol o ffens drydan. (I.W.)

# Tywydd a Thymor

Medrwn ddweud yn ddibetrus y gwelwch yr iaith Gymraeg yn ei dillad gorau yn sôn am y tywydd. Fel yn y diarhebion, mae hyder y canrifoedd uniaith wedi saernïo a naddu'n sylwgarwch yn ddelweddau naturiol pert. Dyma'r rhai a glywsom ni, a gallai llawer ohonoch chwithau feddwl am ragor. Maent yn werth eu cofio oherwydd prin y bydd ein hoes ni na'r un oes i ddyfod yn ychwanegu rhai newydd byth mwy. Fydd dim angen. Mae gwasanaeth y tywydd ar y cyfryngau mor dda erbyn hyn ar y cyfan nes ein bod yn ei gymryd yn ganiataol, wedi llwyr anghofio sut yr oedd hi arnom hyd yn ddiweddar iawn – pawb yn pryderu sut dywydd oedd hi i fod, ai torri gwair neu beidio, beth i'w wisgo (wel, cario mácintosh rhag ofn!). Rydym i gyd yn arbenigwyr heddiw. Mae'n eironig felly mai cilio wnaeth ein hadnabyddiaeth o'r awyr uwch ein pennau ac arwyddion natur o'n cwmpas sef y ddawn i werthfawrogi'r hinsawdd a'r tywydd, dawn sylfaenol i rai'n byw allan yn ei ganol.

## Arwyddion cymysg

Buwch goch gota,
P'run ai glaw ai hindda?
Os mai glaw, syrth i'r baw,
Os mai tes, hedfana

Os cyll (collir) y glaw, o'r dwyrain y daw;
Os cyll (collir) yr hindda, o'r dwyrain daw hitha'

Cafodd y ddwy gred eu gwireddu yn 2003, cyn y tes ddechrau Awst ac wedyn ar ei ôl. Mewn cyfnod o sychdwr mawr erstalwm ceid cyfarfod gweddi i **weddïo am law**, a dyma stori dda am hynny. Mewn rhyw gyfarfod gweddi o'r fath roedd pawb yn yr ardal yno ond un, a galwodd y gweinidog heibio i'r pechadur drannoeth i'w geryddu. "Mi ddyliat fod yno, i weddïo" meddai'r parch wrtho, ac ateb yr hen foi oedd: 'Duw, be' ti haws â gweddïo, a' gwynt yn 'gorllewin!' (H.E.J.)

**cylch am y lleuad** Arwydd o law neu beidio.

**Cylch ymhell, glaw yn agos;**
**Cylch yn agos, glaw ymhell**

**Chwefror di-fai,**
**Mai gaiff y bai**
Mi dalwn yn ddrud ym Mai am dywydd braf yn Chwefror.

**(Mawrth a ladd, Ebrill a fling)**

**(Mawrth yn dod i mewn fel oen a mynd allan fel llew)**
A'r gwrthwyneb.

**Enfys y bore, aml gawode;**
**Enfys y p'nawn, tegwch a gawn**
Dyna ddywed rhai e.e. yn ardal Bethel draw yn Arfon. (D.P.)

**lleuad sych / lleuad 'lyb** Ni wyddom ym mha drefn y bydd lleuad newydd yn cyfateb i'r tymhorau ond mae'n goel ei bod yn argoeli tywydd sych neu wlyb, yn dibynnu ar ogwydd y cilgant main, y **corn lleuad,** fel hyn:

**yn gorfadd ar wastad 'i chefn** Am fod yn braf. (Tybed ai am fod ei ffurf i'w weld fel soser yn dal dŵr?)

**yn sefyll ar 'i thalcan / ar 'i chorn** Tywydd gwlyb. (Ei ffurf yn gollwng dŵr?) Darfu i ni ddigwydd sylwi Galan Mai 2003 – wedi gwanwyn eithriadol o sych – mai sefyll a wnâi'r lleuad newydd, ac mi gafwyd Mai gwlyb iawn.

**moch coed** Cedwir mochyn coed, yn enwedig un mawr Pinwydden yr Alban fel baromedr ar silff allan y ffenestr.

Daw hindda pan fydd ei genddail yn agored a thywydd gwlyb pan fyddant ynghau yn dynn.

'Saif eira mis Chwefrol
Ddim hwy nag ŵy ar ben trosol

'Saif eira mis Mawrth
Ddim hwy na menyn ar dwymyn torth

'Saif eira mis Ebrill
Ddim hwy na dŵr ar gefn brithyll

'Saif eira mis Ebrill
Ddim hwy nag ŵy ar ben ebill
Efelychiad achlysurol ydyw'r olaf yma.

## Arwyddion hindda

**adar yn uchel** Bydd y wennol yn dal pryfaid yn uchel ac adar fel hedydd a gwylanod yn hedfan yn uchel pan fydd hi am dywydd braf, ac yn ystod tywydd braf.

**bloda'r eithin yn drwchus** Yn argoeli haf sych.

**digon i roid clwt ar glôs Tomos** Pan welir llygedyn o awyr las mewn awyr gymylog, bydd y dydd yn gwella. Credwn mai titw tomos las yw'r Tomos yma. Os felly, dyma i chi ddywediad go glyfar. Y titw bach yw'r peth glas lleiaf y medrwn ni feddwl amdano, a byddai ei drowsus yn llai, a chlwt ar hwnnw yn llai fyth! (G.J.)

**y gwarthaig am i fyny** Gwartheg yn pori'n uwch i fyny'r llethrau.

**gwarthaig yn sefyll yn dŵr** Gwelir hyn yn aml yn afon Glaslyn ger Cob Porthmadog. Fis Gorffennaf 2003, er enghraifft, roedden nhw i gyd yn y dŵr am hydoedd rai diwrnodiau cyn y gwres mawr. (R.D.J.)

**swn o'r gogledd-ddwyrain** Pan fydd swn lorïau, tractorau, cerbydau ac ati i'w glywed yn eglur o'r cyfeiriad yma ar dywydd cyfnewidiol, bydd tywydd braf yn saff o ddilyn ymhen tridiau neu ragor. Gw. y nodyn isod am y niwl.

**gwynt traed y meirw** Gwynt oer sych y dwyrain neu ogledd-ddwyrain.

**ha' bach Mihangal** Tywydd sych arferol diwedd Medi, yn gyfleus i'r ffermwr a'r garddwr gael cynaeafu a rhoi trefn ar bethau cyn y gaeaf. Dyddiad yr ŵyl eglwysig Gŵyl Fihangel yw Medi 29.

**ha' bach tatws** Tywydd braf eto a ddaw'n aml tua diwedd Hydref, a rhoi cyfle i gael y tatws yn glyd dan do.

**naw nos ola'** Neu'r **lleuad fedi**, lleuad llawn adeg cyhydnos yr hydref. Pan oedd raid torri ŷd efo pladur gynt (cyn ein hamser ni!) byddai criw wrthi tan berfeddion nos i fanteisio arno.

**llawr llechi yn llaith** Arwydd sicr o dywydd braf yw **dagrau** yn ymddangos ar lechi tŷ neu bortsh (neu ysgubor efallai), sef yn S. *condensation*. (H.E.J.)

**Niwl y gaea', gwas yr eira,**
**Niwl y gwanwyn, gwynt,**
**Niwl ha', tes**
Sef arwyddion o wasgedd uchel yn dod ar warthaf un isel, gan addo gwell tywydd ymhen rhai diwrnodiau. Am niwl o'r tir y mae'n cyfeirio, nid y niwl o fôr y gorllewin a ddaw â glaw yn ei sgil (fel yr eglura dywediad a glywsom yn Sir Aberteifi: 'Niwl o'r môr, glaw ar ei ôl / Niwl o'r mynydd, tes ar y glennydd').

**yn niwl dopyn** Â niwl trwchus yn cau amdanoch.

**niwl Tachwedd**

**(Os deilia'r deri o flaen yr ynn,**
**Gwerth dy fuwch a phryn fyn)**
Hynny yw, bydd yn haf sych, a gafr neu ddafad angen llai o
ddŵr na gwartheg. Ni all byd natur ragweld yr hin ond
gwyddys y ceir cylchoedd ym mhatrwm tywydd y byd a bod
hynny'n dylanwadu o bell, fel effaith El Niño o arfordir
gorllewinol De America.

## Arwyddion glaw

**bloda'r drain yn drwchus** Argoel o haf gwlyb. Hefyd gw. Hen
Goelion: marwolaeth.

**yn bygwth glaw** Pan fo cymylau duon yn crynhoi.

**ci yn b'yta gwellt glas** Ni wyddom a oes diben iachusol iddo,
ond mae'n arwydd go dda o law.

**y crëyr glas yn mynd i agor y**
**fflodiart** Yn hedfan i fyny'r afon.

**gwenoliaid yn hedfan yn isel** Mae'n
debyg mai'r gwybed sy'n fwy niferus
neu'n cadw'n is, efallai gyda'r newid
dwysedd cyn y glaw. Gwelsom enghraifft
dda o hyn yn Eisteddfod Genedlaethol 2003,
wedi i ni osod y garafan yn y cae coediog braf
tu ôl i adeiladau hynafol y King's Head ym
Meifod. Dros y Sul, ar ddechrau'r tes, dyna
lle'r oedd ugeiniau o wenoliaid a gwenoliaid y bondo yn
gwibio'n isel o gwmpas ein pennau, ac yn wir mi ddaeth
terfysg a glaw nos Lun a dydd Mawrth.

    **(Un wennol ni wna wanwyn)**

**y gwenyn am i mewn** Gwenyn yn newid eu harfer ac yn cadw
i mewn yn y cwch i gyd.

**gwydda' gwylltion yn mynd am y de** Pan welir gwyddau o gyfeiriad llyn Glasfryn, Pencaenewydd yn hedfan i'r de neu'r de-ddwyrain, tua llynnoedd Afon-wen fforna, ac ymhellach na hynny efallai. (Pan ddônt yn eu holau, mae hi am sychu!) (H.E.J.)

**Mae'r gwynt wedi troi i dwll y glaw** Troi i'r de-orllewin.

**hen wynt y Gwyddal** Gwynt o'r gorllewin, wrth gwrs. (R.Js)

**Hem wen Cricieth,**
**Glaw ddaw trannoeth**
Haen olau ar orwel y môr, fel rheol o dan gwmwl hir â'i waelod yn wastad, a welir tua'r de-ddwyrain dros gestyll Cricieth a Harlech. Yn ddiweddar y clywsom yr amrywiadau hyn:

**hem wen Harlech**

**lein wen Cricieth**

**sêm wen Cricieth** S. *seam*.

**y lleuad yn boddi** Haen ysgafn o gwmwl o gwmpas y lleuad yn arwydd o ddynesiad gwasgedd isel a thywydd gwlyb.

**y môr yn crafu yn 'Berch** Sŵn y llanw yn hyglyw o gyfeiriad traeth Abererch, sef tywydd o'r de-orllewin.

**mwg taro** Mwg o dân neu simdde yn taro i lawr. Gwynt yn troi i'r gorllewin eto efallai.

**Pan fydd yr Eifl yn gwisgo'i chap**
**Fydd fawr o hap ar dywydd**
Mae'r rhigwm yma'n gyfarwydd mewn llawer o ardaloedd ond ag enw'r mynydd yn amrywio. Yr enw yn Llŷn yw y Garn, sef Garn Fadryn.

**pry' llwyd yn pigo**

**traeth awyr** Cymylau crych mân ar wasgar, yn batrwm tebyg i wrymiau tywod llaith ar drai.

**blew geifr** Patrwm cymylau yn gudynnau hirion cyrliog.

## Arwyddion drycin

**Mae hi am andros o ddrycin**

**y defaid yn chwara'**
Yn argoeli drycin.

**Mae'r ŵyn i fod i chwara' –
os chwery'r defaid, lwc owt**

**Mae hi am derfysg** Bydd anifeiliaid yn anesmwytho pan ddaw terfysg, yn enwedig cŵn, a rhaid cau adar fel tyrcwn i mewn. O.N. Sut i fesur pellter mellten, meddan nhw: cyfrif milltir am bob eiliad cyn y daran.

**golwg hyll arni** Awyr dywyll yn argoeli glaw trwm neu ddrycin.

**personia'd Sir Feirionnydd** Cymylau gwynion mawr (fel gwisg person plwy') yn tyrru i'r de-ddwyrain uwch Harlech ac Ardudwy. Arwydd glaw, a therfysg yn nes ymlaen.

**personia'd Bangor**

**pigo bwrw** Bwrw dafnau ysgafn o law. Digwydd hynny weithiau cyn terfysg, rai oriau yn aml, a bydd naws rybuddiol iddo rywsut.

**yn sgowlio** Gwynt yn codi'n sydyn. S. *squall*.

**sgrympia'\*** Hyrddiadau o wynt a glaw.

**\*sgrympia' Gŵyl Grog** Neu **'Ŵyl Grog** yn ôl rhai.

Sgrympiau a gawn yn aml yr adeg yma, yn ôl 'Nhad, sef wedi canol Medi. Gallant fod yn gynffon corwynt o barthau tramor fel y Caribî. O.N. Gŵyl y Grog = Medi 14eg (+ 12 niwrnod yn ddiweddarach yn ôl yr hen galendr).

## Dywediadau amrywiol

**awel fel cyllall**

    **yr heth** Eira a rhew am gyfnod maith.

**blaen cafod** Diferion glaw o gwr cawod yn nesu.

    **cafodydd Ebrill**

    **crybiad** Cafod ysgafn o law. 'Mi 'na'th hi ryw grybiad bora 'ma.'

**bwrw fel o grwc** Bwrw glaw trwm iawn – fel tywallt o grwc dŵr, casgen bren i ddal dŵr glaw o'r to. O'r S. *crock*, er mai pot pridd yw hwnnw.

    **bwrw brics**

    **glaw t'rana'** Glaw taranau mewn terfysg.

    **hyrddio bwrw** Bwrw glaw a hithau'n wyntog.

    **piso bwrw**

    **stido bwrw** Curfa yw ystyr stid a stido.

    **'stillio bwrw** (pistyllio.)

    **tresio bwrw** Hynny yw, dafnau mawr yn syrthio'n dresi.

**wedi cau** Glaw mân wedi cau amdanoch gan ymddangos yn sefydlog.

    **smwc** Glaw mân a niwl.

**Mae hi'n dreigio** Fflachiadau mellt sy'n rhy bell i ni glywed sŵn y taranau, a delwedd dda o'r tân o enau draig. Ni chlywir yr enw draig, dim ond y ferf: 'Mae hi'n dreigio'n arw tua Sir Feirionnydd 'na'.

**Mae dyn ac anifa'l isio haul ar 'i gefn**

**Mae'r ddaear isio gorffwys, fel ninna'** Hynny yw, rhew y gaeaf yn fendithiol, yn cloi twf planhigion.

**Mae'r ddaear yn tynnu ati** Dywedir hyn yr adeg o'r gwanwyn pan sylwir bod y pyllau dŵr wedi sychu. Yn ystod y gaeaf gallwch gael dwy neu dair wythnos sych ond bydd y tir yn dal yn wlyb. Yna, yn y gwanwyn, yn sydyn mae'r dŵr yn mynd am fod y gronfa dan y ddaear wedi gostwng. Credir hefyd mai canlyniad hyn bob tro bron fydd pwl o dywydd gwlyb.

**Eira mân, eira mawr**

    **yn pluo** Bwrw eira bras, na ddylai aros yn hir cyn **dadmar,** dadmer.

**Gaea' glas, gwanwyn gwyrdd**

    **Gaea' glas, mynwent fras** Gaeaf mwyn a llaith yn achosi llawer o annwyd a salwch ac felly mwy o farwolaethau.

    **Mae hi'n glasu** Porfa yn tyfu a blagur yn agor – y gwanwyn yn dod. Mae'n glasu yn y gaeaf yn rhy aml y dyddiau hyn.

**glaw haul / bwrw haul** Cafod ysgafn o law o gwmwl mewn awyr las. Gwelir enfys yr un pryd fel arfer.

**pyst dan yr haul** Lleithder yn cael ei sugno fry'n belydrau dan gwmwl, a welir ar ddiwrnod heulog cawodlyd. Clywsom 'pyst glaw' yn Arfon.

**lleuad waed** Clip ar y lleuad, pan dry'n goch tywyll (ar dywydd ffafriol).

**lli' Awst** Ceir llifogydd yr adeg yma bob blwyddyn bron. Byddai'n syniad go dda i gynnal yr Eisteddfod Genedlaethol yn unrhyw fis *ond* Awst!

**tymor lladd mochyn** Byddai'n arferiad i ladd mochyn a'i halltu yn ystod misoedd â'u henwau Saesneg yn dechrau efo'r llythyren 'r', sef y misoedd oeraf. Roedd hynny'n gwneud synnwyr erstalwm cyn bod stordy oer i'w gael gan bod raid iddo grogi ar fachyn am beth amser cyn ei dorri, ac ni fyddai'r hen bry' glas fawr o dro yn cael gafael arno ym misoedd yr haf.

**cambren** Pren i grogi mochyn wedi'i ladd arno. (Yn Nyfed, defnyddir y gair i olygu tinbren ceffyl a cheir dywediad lliwgar yno am wneud smonach sef 'cachu ar y gambren'.)

**tymor plannu** Mae calendar y misoedd 'r' yn S. yn dal yn ymarferol ar gyfer plannu llwyn neu goeden. Gellir eu plannu unrhyw adeg o'r flwyddyn dim ond gofalu amdanynt wedyn, ond mae'n well gwneud o'r hydref i'r gwanwyn er mwyn i'r gwraidd gael llonydd i sefydlu.

**mochyn ofn y gwynt** Dywedir bod ofn gwynt ar fochyn.

**'Well prynu gwair, ne' mi fydd yn hirlwm** Yr hirlwm yw'r cyfnod llwm o derfyn yr hen wair yn y das tan y gwair newydd, sy'n waeth ar ôl cynhaeaf sâl.

**pymthag nos cyn nos Glangaea'** Y cyfeiriad y bo'r gwynt ohono y pryd hynny fydd ei gyfeiriad dros y gaeaf.

**tri sychiad sach** Enw'r adeg y daw'r tywydd i sychu yn y gwanwyn. Mae dillad glaw cyfoes wedi dileu'r arferiad o daro sach am eich gwar a'i gau efo hoelen gam er mwyn dal ati i weithio ar dywydd llaith neu gawodlyd. Diau mai ystyr y dywediad yw hinsawdd a sychai beth o'r fath deirgwaith y dydd. (W.L.J.)

**tywydd ffadin** Tywydd gwael. Mae GPC yn awgrymu tarddiad ffadin o'r S. *fading*, nad yw'n argyhoeddi rywsut er na allwn gynnig dim gwell.

**tywydd grifft** Tywydd llaith tua diwedd Ionawr ac yn Chwefror pan welir grifft, sef wyau llyffaint, mewn ffosydd a phyllau.

**tywydd llyffant**

**tywydd iawn i chwia'd** Tywydd gwlyb, addas i hwyaid.

**tywydd llwynog** Diwrnod braf yng nghanol tywydd gwamal.

**d'wrnod llwynog**

# Hen Goelion

*Nid ofergoelion* Yn ogystal â'r deunydd a gasglodd yr Amgueddfa Werin, cyhoeddwyd llawer iawn o goelion mewn casgliadau gwreiddiol yn ystod y ddwy ganrif ddiwethaf, a mwy fyth o lyfrau yn eu hailadrodd a'u trafod. Llyfr difyr yw *Coelion Cymru* gan Evan Isaac, 1938, sydd allan o brint erstalwm ond nid yw'n anodd cael gafael ar gopi ail law. Ofergoelion fyddai pethau fel hyn yn cael eu galw hyd yn ddiweddar, dan ddylanwad Cristnogaeth. Ond nid ofer mohonynt pe gallem ddatgloi eu hystyr, a heddiw rhown sylw cynyddol iddynt oherwydd credir mai'r hyn ydynt yw gweddillion hen gredoau a chrefyddau a'u bod felly'n drysorfa o ddysgeidiaeth a diwylliant ein hynafiaid.

*Yr hen bobl* Mae coelion Tylwyth Teg y Cymry yn niferus iawn hefyd. Cred rhai mai atgofion ydynt am dylwyth cynnar ein gwlad cyn Oes yr Haearn a chyn ffurfio'n hiaith Geltaidd ni. Mae'n arwyddocaol eu bod yn fach, yn dywyll, yn ofni haearn, ac yn medru iaith annealladwy. Ond pam dawnsio a hudo brodorion mewn cylch a llannerch? Gwyddom am leoliad bras honedig un cylch Tylwyth Teg yn agos i afon Wyre yng Ngheredigion. Dan ddaear ar lan yr afon yn yr un fferm cafwyd tas o gerrig llosg, yr olion arferol o wersyll teulu o helwyr Oes Newydd y Cerrig. (Dyna'r dull o ferwi cig cyn bod celfi haearn – llosgi'r cerrig mân mewn tân yna'u tywallt yn eirias i ddŵr mewn cafn clai yn y ddaear, neu weithiau mewn cwd lledr.) Hynny a bair i ni ofyn oni all llannerch Tylwyth Teg fod yn cadw cof ardal am drigfan yr hen bobl, yn y wlad goediog gynt? Byddai'n dda cael map cenedlaethol o leoliad bras y llennyrch honedig, ac yn well byth canfod olion pobl gynnar yn yr un mannau!

*Merched sy'n cadw* Nid straeon Tylwyth Teg sydd gennym yn y bennod yma chwaith, na chwedlau o unrhyw fath, eithr hen goelion. Un peth nodweddiadol a diddorol dros ben am y rhain yw mai merched bron yn ddieithriad sy'n eu cadw a'u trosglwyddo o un genhedlaeth i'r llall. Gwyddom mai'r merched sy'n para'n ffyddlon i'n defodau a'n harferion diweddar hefyd, fel cadw'r cymdeithasau lleol a'r eglwysi i fynd. Credwn y buont yn gwneud hynny'n ddi-dor ers cyn hanes, a'u bod yn ddiarwybod drwy gyfrwng y coelion hyn yn etifeddu a diogelu parch at wareiddiad yr oesoedd gynt. Beth bynnag am hynny, gan ferched y clywsom bron y cyfan o'r isod yn Llŷn ac Eifionydd a bydd llawer ohonynt yn gyfarwydd i ferched pob rhan o'r wlad. Daliwch ati, genod!

## Amrywiol

**agor ambarél yn tŷ** Anlwcus.

**arian yn y ffynnon** Rhoi am fendith, ac yna gwneud dymuniad dirgel. Roedd ein cyndeidiau a chyn-neiniau o'r Oes Efydd ac Oes yr Haearn hyd Oes y Saint yn rhoi trysorau yn offrwm i'r duwiau mewn ffynhonnau a llynnau, llawer ohonynt wedi eu darganfod yng Nghymru – ac wele ninnau'n dal i wneud yr un peth.

Cyn dymuno yn Ffynnon Gybi byddai'n rhaid i ni gerdded rownd iddi saith gwaith, fel y gwnâi Mam a'i chyfoedion o'n blaenau (ond nid oedd merched ein cyfnod ni yn taflu pinnau i ddewis cariadon). Cymerwch ofal, mae'n hawdd cael y bendro a syrthio i mewn! Dywed yr awdur Penri Jones, cefnder Tomos Prys, Tyddyn Llan gerllaw, y bydden nhw'n gorfod mynd i mewn i olchi eu coesau gyntaf, haf neu aeaf. Dim ond dowcio'n traed ynddi y byddem ni. Ffynnon iachusol yw hon, wrth gwrs – ond mae'r dŵr yn bur oer!

**arwydd y groes** Rhoi blaenau bysedd y llaw dde yn gyntaf ar y talcen ac yna i lawr, yna ar y fron chwith, ac wedyn ar yr ysgwydd dde. Hynny yw, ar y meddwl i gofio cyffesu, ar y galon i gofio caru, ac ar y fraich i gofio gweithio. Arwydd y groes yw'r arfer Cristnogol pwysicaf. Ceir amryw o rai eraill hynafol, wrth gwrs, ond ni wnawn eu cynnwys gyda'r coelion am y tro, ac eithrio'r bedydd.

**babi newydd** Rhoi darn arian yn ei law. Lwc dda (o leiaf os gwnaiff y fam ei gymryd oddi arno cyn iddo'i lyncu!) (R.J.)

**babi yn uchel yn y bol** Os yw'r baich ymlaen gan ferch feichiog, merch gaiff hi.

os wyt ti'n llydan ar dy ben-ôl Hynny yw, yn cario'n fwy yn ôl ac yn lledu yn y cefn – hogyn gei di.

**bedydd baban** Mae'r bedydd dŵr lle gwneir arwydd y groes mewn dŵr ar dalcen baban yn hŷn na Christnogaeth, mae'n siŵr, fel y gred yn lles dŵr sanctaidd y ffynhonnau a Dydd Calan.

**bloda' coch a gwyn yn unig efo'i gilydd** Anlwcus, arwydd o farwolaeth. Byddai nyrsus yn gwrthod eu derbyn yn yr ysbyty. Mae'n bosib mai gwaed y groes yw sail yr ofn.

**bloda' gwyn yn y tŷ** Anlwcus eto. Hefyd gw. eirlysiau, Merched yr Eglwys isod.

**bloda'r drain yn drwchus** Yn argoeli marwolaeth. Cyfeiriad efallai at y ddraenen ddu gan bod trwch ei blodau ambell dymor yn amrywio mwy na'r ddraenen wen.

**rhoi broetsh yn anrheg** Anlwcus. (R.J.)

**rhoi cyllell yn anrheg** Os rhowch chi gyllell yn anrheg rydych i fod i gael rhywbeth bach yn ôl, fel ceiniog neu ddwy. Arwyddocâd haearn yw hwn efallai. (R.J.)

**rhoi menyg yn anrheg** Mae'n anlwcus i roi pâr o fenyg yn anrheg am mai *parting gift* ydyw i fod. (R.J.)

**car gwyrdd yn anlwcus** Bydd rhai yn gwrthod eu prynu o gwbl ac ni welir llawer ohonynt ar y ffyrdd. Yn rhyfedd iawn mi ddaru'r unig geir gwyrdd a fu gennym ni – dau Renault – orffen eu hoes mewn damwain a malu'n gyrbibion; ai am eu bod yn wyrdd, ynteu'n Renaults, neu o achos y gyrrwr, pwy a ŵyr!

**dillad gwyrdd yn anlwcus** Gwyrdd eto. Ai lliw y Tylwyth Teg sydd yma, tybed?

**cath ddu yn lwcus**

**cath yn 'molchi dros 'i chlustia'** Pobl ddiarth am alw.

**cerddad dan ystol** Anlwcus. Os oes raid gwneud, yna croesi'r bysedd. Ychydig o bobl o hyd wnaiff fynd o dan ysgol. Un rheswm posib am yr ofn yw eich bod yn cerdded drwy driongl, sy'n un o ddelweddau dewiniaeth. Wrth gwrs, rhaid cyfaddef ei fod hefyd yn lle naturiol i gael anlwc ar eich corun – brws paent, bricsan.

**ci yn udo** Arwydd o farwolaeth rhywun.

**croesi bysedd** Croesi'r ddau fys cyntaf am lwc.

**croesi cyllyll ar y bwrdd** Anlwcus. Ffurf y groes, mae'n debyg, a math o haearn at hynny.

**cyllell neu fforc yn syrthio** Pobl ddiarth yn mynd i alw. Os mai cyllell sy'n syrthio, dyn diarth a ddaw; os mai fforc, dynes. Cewch chi ddehongli hwnna!

**dafad (dafaden) ar groen** (eto) Yn adran Iechyd Pobl fe wnaethom grybwyll dwy neu dair meddyginiaeth i aflwydd y ddafad (S. *wart*). Er nad ydym ni'n gymwys i farnu, mae'r gweddill yn swnio'n fwy o goelion hynafol na meddyginiaeth iachusol. Nid yw hynny'n syndod chwaith oherwydd bod peth dirgelwch ynglŷn â defaid. Er mai feirws sy'n eu hachosi, ac er y gellir eu dal wrth gyffwrdd un gan rywun arall, mae barn feddygol yn derbyn y gall cyflwr meddwl fod

*Plant Ysgol Chwilog, 1936, a Mair yn y ffrog smotiau, rhes ganol, ail o'r chwith.*

*Disgyblion 2001 â'u siwmperi glas taclus, a'r prifathro Edward Elias a'r staff, (chwith) Linda Jones a (dde) Ema Owen a Linda Owen.*

yn ddylanwad i'w clirio. Os felly, cystal rhoi cynnig ar y coelion gwerin yma cyn gwario ar gyffuriau.

**claddu cig moch** Rhwbio'r defaid efo tafell o gig moch yna cuddio'r cig yn y ddaear. Pan bydra'r cig, pydra'r ddafad. (A.W.J.)

Os dadlennir cuddfan y cig, mi ddaw'r ddafad yn ei hôl meddai rhai. Mae hynny'n dra diddorol gan ei fod yn atgoffa rhywun yn anorfod o'r chwedl yn ail gainc y Mabinogi am gladdu pen Bendigedfran yn y Gwynfryn yn Llundain. Yno dywedir y byddai'r deyrnas yn ddiogel tra parai'r guddfan yn gyfrinach. Mae'n bur debygol mai arlliw sydd gennym o ryw gred bwysig fel cwlt y pen.

**dŵr 'refail** Y dull poblogaidd oedd nôl dŵr o'r efail – y dŵr y mae'r gof yn taro haearn ynddo i oeri – a rhoi eich llaw ynddo bob bore. Ddaru hynny ddim gweithio yn ein profiad ni. O.N. Ni wyddom a oes rhinwedd mewn dŵr o'r fath ai peidio ond swnia braidd fel y parchedig ofn o haearn a geir yn yr hen goelion.

**prynu'r ddafad** Mi gewch brynu'r ddafaden oddi ar rywun arall. Dyna wnaeth Harri, cefnder Elsie a adroddodd yr hanesyn yma wrthym. Roedd gan ei chwaer ef, Eunice, ddafad a dywedodd ei brawd wrthi, 'Mi pryna' i hi gen ti,' a thalodd ddimai iddi. Yn wir, mi ddiflannodd y ddafaden oddi arni – a do, mi gododd hi arno fynta wedyn. (E.E.)

**rhwbio 'dafadd** Rhwbio edafedd ar y ddafad yna'i gladdu – a pheidio dweud wrth neb. (E.E.)

**daint dan y glustog** Pan fydd plentyn yn rhoi dant rhydd dan y glustog cyn cysgu, erbyn y bore bydd y Tylwyth Teg wedi'i gipio a gadael darn o arian yn ei le. Chwecheiniog fydden nhw'n roi i ni, ond tebyg bod chwyddiant wedi effeithio arnynt heddiw fel ar bawb arall.

**Mae isio dewin i ddallt y peth** Mae'r dywediad yma'n dangos nad ydym wedi llwyr anghofio'r dewiniaid a fu yn ein plith.

**dolur gwddw** I'w wella, clymu darn o gig moch ar y cnawd dros nos.

**dyn tywyll y cynta' i groesi'r trothwy ar Ddydd Calan** Lwc dda.

**dwy lwy de yn y sosar** Bydd priodas yn y teulu.

**Dydd Gwener y Groglith** Mae'r diwrnod yma'n fwy sanctaidd na'r Sul, a doedd neb yn arfer gweithio arno, er nad yw'r Beibl yn gwarafun hynny. Cofio am ein gwartheg ni unwaith yn bygwth dringo dros glawdd y we'rglodd ucha' i lôn 'Berch, a hithau'n Groglith. Wedi mynd yno efo 'Nhad i gau'r bwlch, dyma ddyn diarth ar gefn beic yn stopio a dweud y drefn yn ofnadwy wrtho. Embaras, a fynta'n flaenor! Y Groglith canlynol felly, cafodd 'Nhad ei gyd-flaenoriaid yn y Capel Uchaf i gytuno i gynnal gwasanaeth cymun ar fore'r Groglith – a chynhaliwyd un bob Gwener y Groglith yn Chwilog byth ers hynny!

**Dydd Gwener y 13eg** Anlwcus.

**Y ddraig goch ddyry cychwyn** Roedd dyn o Eifionydd wedi gweld draig medda' fo. J. R. Owen, Tŷ'n Lôn Plas Hen – a aeth yn weinidog i Ohio – a adroddai'r hanes, amdano'i hun neu am rywun arall. Roedd y tyst yn hollol sobr, yn torri eithin efo cryman ar ben clawdd ar groeslon Llangybi Stesion ar y lôn o Chwilog am Betws Fawr, cyn cyrraedd lle mae'n croesi'r Lôn Goed. Pan symudodd lwyn o'r neilltu dyna lle'r oedd draig yn hisian a chwythu arno ac yna'n diflannu. Ni soniodd pa liw oedd hi. (W.G.)

Mae'r slogan cenedlaethol dros bum canrif oed; llinell o waith Deio ab Ieuan Ddu, bardd o Geredigion o'r bymthegfed ganrif. Yn ôl y *Cydymaith i Lenyddiaeth Cymru* mae sôn am y ddraig goch yn mynd yn ôl yn ein llên i ddiwedd yr wythfed ganrif – wedi tarddu efallai o ddelwedd filwrol gan y Rhufeiniaid. Hi fu'n cynrychioli brwydr oesol y Brythoniaid yn erbyn eu goresgynwyr (a'r ddraig wen yn cynrychioli'r Saeson) a dywedid ei bod ar faner Arthur. Ar arfbeisiau'r tywysogion byddai symbolau grym eraill, fel y llew, yn amrywio ond roedd y ddraig goch yn gyson yn cyhwfan ar flaen y gad – er mai draig aur oedd gan Owain Glyndŵr – a hi ddaeth yn faner genedlaethol naturiol Cymru.

**rhoi esgidiau newydd ar y bwrdd** Peidiwch – anlwcus.

**esgidiau priodas** Clymu pâr o esgidiau tu ôl i gar priodasol am lwc.

**esgid plentyn bach** Darganfuwyd esgid fechan (hen un efo careiau) dan garreg aelwyd Garth Llwynog, Croesor. (E.E.)
   Cafwyd esgid plentyn ym meini'r lle tân ym Muriau Bach, Rhoslan hefyd. Mae'n ymddangos felly mai o gwmpas y tân a'r aelwyd y câi'r esgidiau eu gosod. (L.A.R.)

**ffeirio giatia'** Y difyrrwch a gaem o gyfnewid llidiardau ffrynt tai'r pentref ar noson Gei Ffôcs neu ar Nos Galan Ionawr. Byddai'n o anodd i'w perchnogion eu darganfod fore trannoeth! Dyna enghraifft fyw o arfer hynafol y Celtiaid ac eraill o gelu a newid pethau i ddrysu ysbrydion drwg ar ddechrau tymor neu flwyddyn newydd.

**ffeirio moch** Arferiad tebyg ychydig cyn ein hamser ni oedd ffeirio moch o gwt i gwt ar Nos Galan, yng nghefnau tai Madryn Teras, Chwilog. Roedd yna gwt mochyn ar gyfer pob tŷ yr adeg honno. Coblyn o hwyl, mae'n rhaid, ond wnaeth Wil ddim egluro sut oedd nadu i'r sŵn ddeffro pobl. (W.L.J)

**newid gwyneb a dillad** Deil plant, wrth gwrs, i newid eu gwynebau a'u gwisg o gwmpas y tai ar nos Calan Gaeaf (a Gei Ffôcs weithiau), a daeth yn arferiad i hel pres yr un pryd, sy'n ffasiwn o America er na wnaeth eu harfer bygythiol o hawlio *trick or treat* gydio lawer yma.

**Gwallt coch, cynddeiriog** Celwydd!

**gwisgo dillad tu chwith allan** Os gwisgwch ddilledyn (e.e. pais) tu chwithig allan yn ddamweiniol, mae'n anlwcus i'w newid. Byddai rhai pobl erstalwm yn glynu at hyn, fel modryb i ni a wisgai rywbeth tu chwithig allan wedyn drwy'r dydd.

**troi pot halan ar y bwrdd** Os collwch chi halen ar y bwrdd, taflu peth ohono dros yr ysgwydd dde rhag anlwc.

**jac lantar** Naddu rwdan fawr yn wag efo tyllau llygaid, ceg a dannedd, a thwll mwg yng nghaead y corun, i ddal cannwyll. Caiff ei osod ar ben wal fel rhith bod arallfydol ar Nos G'lan Gaea', Noson Gei Ffôcs neu Nos Galan Ionawr ac mae'n bur effeithiol mewn tywyllwch dudew (sy'n beth digon anodd i'w gael erbyn hyn). S. *jack-o'-lantern*.

**lladd pry' copyn** Mae hyn yn anlwcus, a'r gosb fydd cael torri eich coes!

**lleuad newydd dros yr ysgwydd chwith** Mae'n anlwcus ei gweld felly gyntaf.

**lleuad newydd drwy'r ffenast** Ei gweld drwy wydr ffenestr yn anlwcus.

**llun Salem** Mae llawer o hyd yn meddwl ei fod yn beth anlwcus i'w gadw yn y tŷ, ac eto mae wedi gwerthu mwy o gopïau nag odid unrhyw lun arall am ganrif! Mae pawb yn gwybod am wyneb y diafol ar siôl hardd Siân Owen, Ty'n-y-fawnog, yn llun enwog Curnow Vosper o'r capel bach yng Nghwm Nantcol, tua 1909. Teimlai rhai bod y ddelw yn cynrychioli barn arni am arddangos balchder mewn moddion gras.

**tynnu llun yn y capel** Yn ogystal â'r diafol, ni synnem pe bai rhyw aniddigrwydd ynghylch portread mor fyw o wasanaeth crefyddol. Mae pobl hyd heddiw'n amheus ynghylch tynnu ffotograff mewn eglwys neu gapel, hyd yn oed mewn priodas, fel pe bai'n beth annuwiol. Pawb yn clicio tu allan! Ond mae'n ddiddorol bod yna eithriadau sy'n cael bod yn rhydd o'r parchedig ofn yma sef y sêr pop a'r teulu brenhinol – duwiau'r oes, wrth gwrs. O.N. Moses a'i bregeth ar y mynydd oedd yn gyfrifol efallai: 'Na wna i ti ddelw gerfiedig, na llun dim...' (Deuteronomium 5:8).

**mynd i mewn drwy un drws ac allan drwy un arall, heb eistedd** Anlwcus, a dywed rhai y cewch chi fabi! Yn ein barn ni, pan glywir bygythiad fel hyn o gael baban – trawsnewid sylfaenol bywyd – mae'n arwydd o hynafiaeth a sail ysbrydol gref y gred.

Onid yw'n anodd iawn peidio cymharu'r gred hon efo dameg anfarwol y mynach Beda o ddechrau'r wythfed ganrif? Sôn y mae ef am genhadaeth o'r Cyfandir yn y ganrif cynt at y brenin Seisnig Edwin, oedd yn bagan, ac yntau'n cael diwygiad wedi i rywun dysgedig yn neuadd y brenin ddangos iddo mor frau yw bywyd. Roedd oes dyn, meddai hwnnw, yn debyg i aderyn y to yn hedfan o'r tywyllwch i mewn drwy'r drws yn un pen i'r neuadd, yn treulio ysbaid yn y gwres a'r goleuni, yna'n mynd allan drwy'r drws yn y pen arall yn ôl i'r tywyllwch. Ninnau yr un modd, yn gweld dim ond ein bywyd byr ar y ddaear heb wybod am yr hyn fu o'i flaen na'r hyn fydd ar ei ôl.

Gwnaeth stori'r hanesydd enwog argraff ar y Saeson ar hyd y canrifoedd. Nid yw'n annichon bod delwedd mor drawiadol wedi cyrraedd ein harweinwyr ysbrydol cynnar ni hefyd, gan aros yng nghof y merched mewn coel fel hyn. Nid yw'r gwrthwyneb chwaith yn amhosib, sef y gallasai'r ddameg ddod o ddysg draddodiadol a gafodd Beda gan fynach o Wyddel neu Frython!

**pasio'n gilydd ar ganol grisiau** Anlwcus (ac annoeth!).

**pwyri ar ddarn o arian** Poeri ar anrheg yn eich llaw cyn ei roi yn y boced neu'r pwrs, neu boeri ar becyn cyflog, neu ar y tâl wedi taro bargen.

**pwyri ar gledar dy law cyn cwffio** Poeri am lwc eto.

**rhodd** Enw'r swm bach o arian a rydd y gwerthwr yn ôl i'r prynwr am lwc wedi taro bargen ar anifeiliaid.

**Mae isio rhoid cath ar dy ben di** Dywedir hyn wrth blentyn sydd wedi prifio llawer.

**rhywun yn cerddad ar 'y medd i** Dyna ddywedir wrth deimlo cryndod corff sydyn.

**Symud o 'ngola' i, yr hwdw** Rhywun blêr neu drwsgl yw hwdw, o'r hen air 'hwdwg' am fwgan. Nid ydym wedi hel straeon ysbryd yn y llyfr yma, ond mae'n werth crybwyll yr hen fwganod y mae eu henwau, beth bynnag, yn fyw ac iach o hyd.

Sy'n ein hatgoffa am griw o gymdogion yn Llangybi yn ceisio helpu i godi buwch oedd mewn gwendid wedi dod â llo. Wedi stryffaglio am beth amser, dyna lle'r oedd pawb yn edrych ar ei gilydd. ''Wn i,' meddai un, 'be' am fynd allan, a mi ro' i sach dros 'y mhen a rhuthro am y drws a'i dychryn hi.' 'Harglwydd,' meddai un arall, ''sdim isio i ti roid sach dros dy ben i ddychryn neb!' (G.V.J.)

    **fel bo-bo** Mae'n perthyn i'r enw nesaf, yn ôl ei sŵn. Dyn mawr blêr fel rhyw fwgan, o enw plant ar fwgan.

    **Mae o fel bwbach** Dyn hyll sy'n dychryn rhywun, neu un blin yr olwg, a'i hen ystyr yw bwgan.

    **y coblyn bach drwg iti** Plentyn ystrywgar neu ddireidus. Hen enw ellyll bach (rhywbeth tebyg i E.T.?), o'r un gwraidd â'r S. *goblin*

    **coblyn drwg** Un drygionus.

    **y geldrych** I ni, mae'n enw ar rywun hollol ddi-lun*. Gwalch, cnaf, dihiryn yw ei ystyr yn ôl GPC, e.e. 'hen eldrych cas' yn Arfon a phlentyn direidus yn ôl rhywun o

Eifionydd. Awgryma'r geiriadur ei fod yn fenthyciad o S. tafodieithol *eldritch* am un surbwch, blin. Mewn tafodiaith *Scots* mae *eldritch* yn golygu *weird, hideous* yn ôl geiriadur Rhydychen, ac yn ôl Collins, *unearthly, weird* – sy'n debyg iawn i'n defnydd ni o'r enw Cymraeg. Nid yw'r geiriaduron hyn chwaith yn saff o'r tarddiad a diau y daw'r cyfan o gyff cyffredin oedd yn enw ar hen fwci.

**ta'nu lliain ar y glás** Pan ddôi terfysg sef mellt a tharanau yn agos, byddem ni acw yn cau llenni'r ffenestr ac yn taenu lliain dros y drych uwchben y tân, am y credid bod drych yn 'tynnu' mellten.

**torri drych** Saith mlynedd o anlwc.

**peidio torri gwinadd babi efo siswrn** Dyma ofn haearn a ffurf y groes, hynny yw credo gynnar a Christnogaeth yn gymysg yn ôl pob tebyg.

**troed gwningen** Cadw un yn eich poced am lwc. Mae pêl-droedwyr yn enwog am gadw pethau fel hyn, am bod cymaint o lwc ac anlwc yn y gemau, mae'n siŵr.

**'White rabbit, bring me luck'** Dweud hyn dair gwaith cyn hanner dydd, ar y diwrnod cyntaf o bob mis. Dynes o Flaenau Ffestiniog yn dweud ffortiwn ddywedodd hyn wrthi. A oes cysylltiad cymhleth rhwng yr wningen Saesneg â'r *albino* arall, y frân wen Gymraeg? (R.J.)

## Merched yr eglwys

Dyma agwedd ddiddorol arall ar gadwraeth yr hen goelion. Soniwyd ar ddechrau'r adran mai merched sy'n eu cadw a'u trosglwyddo o oes i oes. Yn ein profiad ni, mae'n wir i ddweud hefyd bod merched yr eglwys yn well am eu cadw na merched y capel. Naturiol yw hynny; bu eglwyswyr o'u hanfod yn fwy ceidwadol, tra'r anghydffurfwyr yn ceisio golchi'n hymennydd o bethau mor baganaidd! Dyma saith o goelion ychwanegol a glywid gartref gynt gan ein chwaer-yng-nghyfraith, Renee (R.J). Roedd ei mam o Benlôn Llŷn, Pwllheli a'i mam hithau o Lanbedrog yn Llŷn yn eglwyswyr selog ac yn cadw'n ffyddlon at yr hen gredoau.

**darn o lo** Pan fydd rhywun yn sefyll arholiad, rhoi tamaid bach o lo mewn papur iddi, neu iddo, am lwc. Gwnaeth Renee hyn i'w phlant a deil i wneud i'w hwyrion. (Do, maen nhw wedi pasio'n burion hyd yn hyn!)

**dyn glo yn dwad i'r tŷ ar Ddydd Calan** Lwcus (gw. y dyn tywyll uchod).

**eirlysiau yn y tŷ** Mae'n anlwcus i fynd ag eirlysiau i'r tŷ.

dyn glo yn dwad i'r tŷ ar Ddydd Calan

**Paid byth â golchi ar ddydd Gwener y Groglith – rwyt ti'n golchi rhywun allan o dy deulu** Hynny yw, marwolaeth yn y teulu. Cadwodd hithau arferiad ei mam a'i nain o ofalu golchi unrhyw beth y noson cynt, 'hyd yn oed clwt babi'. Mae'r gofal am y baban yn arwyddocaol, yn arwydd o fywyd sanctaidd ac yn dangos ofn cosb o ddifrif.

**rhoid pwrs yn anrheg** Os ydych yn rhoi pwrs yn anrheg, rhoi ceiniog ynddo am lwc dda. Cafodd hi bwrs bach gan un o'i ffrindiau yn ddiweddar iawn ac yr oedd darn deg ceiniog ynddo.

**Paid torri gwinadd ar y Sul, ne' 'fydd y diafol efo chdi ar hyd yr wsnos** Dyna efallai ofn hynafol y defnydd o haearn gan y Tylwyth Teg, sef ein rhith-ddarlun ni o'r brodorion cyn Oes yr Haearn.

**Paid torri mins pei efo cyllall** Anlwcus, a hoffem wybod pam. Gan bod mins peis yn hollol gysylltiedig â gŵyl y Nadolig, rhaid bod sail grefyddol i'r goel. Ond nid oes gwaharddiad o'r fath yn y Beibl, hyd y gwyddom! Dyma'r cysylltiad â'r ofn o haearn eto fyth. Onid yw'n dwyn i gof amryw o hen straeon gwerin Cymru, am ferch hardd y Tylwyth Teg yn codi o'r llyn (fel Llyn y Fan) a rhoi rhybudd holl-bwysig i'w chariad i beidio â'i chyffwrdd efo haearn?

## Adar

Ceir llawer iawn o goelion am alluoedd anarferol adar yn llên gwerin Gwledydd Prydain (a gwledydd y byd, ac yn y Beibl e.e. cigfran a cholomen Noa, cigfran Elias). Cafwyd crynodeb hwylus gan Francesca Greenoak yn *All the Birds of the Air: the Names, Lore and Literature of British Birds* (Penquin Books, 1981), er na wyddai hi fawr ddim am Gymru. Digon yw dweud bod yr aderyn yn fwy na'r un creadur wedi cynrychioli'n serch a'n hofnau tuag at y byd ysbrydol erioed. Dyma rai coelion a glywsom, bron i gyd yn rhai digon cyfarwydd i chi, debyg iawn:

254

**clywed y gog, a dymuno** Pan glywch y gog, troi arian yn eich poced neu bwrs a gwneud dymuniad. Arwydd tymor y gwanwyn ac aileni yw'r gog, a'r arian yn obaith am ffrwythlondeb – fel calennig fore Calan. Mae'r hen barch at aderyn yma hefyd, wrth reswm.

**clywed y gog, ag arian** Pan glywch y gog gyntaf cewch lwc os bydd arian yn eich pwrs neu yn eich poced ar y pryd, yn enwedig arian gwynion.

**Deryn bach ddeudodd wrtha 'i** Dywediad sy'n cadw brith gof am ryw aderyn hollwybodol, a'r gred yn yr 'anifail hynaf'. Ceir yr un dywediad yn Saesneg – ac mewn ieithoedd eraill, mae'n debyg. (Gw. y robin goch a'r dryw).

**drudwy Branwen** Stori gyfarwydd ail gainc y Mabinogi am ryfel mawr trychinebus rhwng Celtiaid Ynys Prydain ac Iwerddon. Pan oedd Branwen ferch Llŷr yn anhapus o gael ei chamdrin yn Iwerddon, dysgodd ddrudwy i siarad a danfon llythyr at ei brawd Brân i ddod i'w hachub. Dyma gred yng ngallu goruwchnaturiol aderyn (a chof am y dduwies hithau yn medru iaith yr adar). Doedd dim rhyfedd iddi ddewis drudwy gyda llaw; mae'n un o'r dynwaredwyr gorau o blith ein hadar ni.

**Mwyalchen Cilgwri, Tylluan Cwm Cawlwyd, Eryr Gwernabwy** Y chwedl hŷn Culhwch ac Olwen sy'n anfarwoli'r adar gwybodus hyn. Mae'r un rhai'n cael eu cofio fel Tri Hynaif Byd yng ngwyddoniadur (*encyclopaedia*) cynharaf Gwledydd Prydain, y Trioedd Cymreig.

**Dwy frân ddu, lwc dda i mi** Yn ôl Twm Elias roedd gan yr hen Geltiaid a'r Llychlynwyr ddelwedd o ddwy gigfran yn cludo newyddion da.

**haid o frain yn croesi** (Sef yn troelli drwy'i gilydd uwchben.) Argoeli priodas. Mae'r dywediad bach diniwed yma yn cyfuno tri o agweddau cyson yr hen goelion, â'u sail ysbrydol gynnar neu Gristnogol yn gymysg, sef y frân, ffurf y groes, a phriodas. (M.A.)

**Hen frân ddeudodd wrtha 'i** 'Sut gwyddost ti?' – 'O, rhyw hen frân…' Mae'n ddiamau bod yma sail coelgrefyddol yn mynd yn ôl i gred y Celtiaid a phobloedd eraill yn yr hen aderyn doeth sy'n gwybod y presennol a'r dyfodol. Dyna ddawn na allai berthyn ond i un o'r duwiau. Ai'r duw Brân a olygir, o gofio am y llw 'myn brain' (gw. adran olaf yr Hen Lwon)? O gofio am ei chwaer Branwen hefyd, mae'n bosib bod cysylltiad rhwng y duw pwysig Brân a byd yr adar. Ni fyddai'r fath barch at adar yn syndod o feddwl am eu gallu unigryw i deithio'r nen yn rhydd uwchben y byd.

**Yr hen frân wen ddeudodd wrtha 'i** Ychwaneger at y parch hwnnw y rhyfeddod o weld weithiau frân hollol wen. Tybed a oedd cysylltiad rhwng brân *albino* ag enw Branwen ferch Llŷr? Ydi'r dywediad yn cadw atgof o'r dduwies yn fyw yn ein dyddiau ni?

Eithr dywed Twm Elias bod un o chwedlau'r Groegiaid yn dra pherthnasol i'r drafodaeth. Mae'r chwedl yn adrodd mai gwyn oedd y gigfran yn wreiddiol cyn i Apollo ei throi'n ddu – yn gosb am hel straeon!

**Nico annwl, ei di drostai**
**Ar neges fach i Gymru lân?**
**Ei di o fro y clwy a'r clefyd**
**I ardaloedd hedd a chân?**
Cynan yn llanc o Bwllheli yn Anfon y Nico ar neges at ei geraint o'r drin yn y Rhyfel Mawr ym Macedonia. Cofio roedd o, wrth gwrs, am stori drudwy Branwen.

**pioden ar y ffordd** Anlwcus, fel y cadarnhâ'r pennill isod. Cofier mai brân yw'r bioden hefyd – a diau bod ei lliw yn arwyddocaol iawn, yn hanner brân ddu a hanner brân wen.

*'Good morning Mr Magpie'*
*'Good afternoon, Mr Magpie'*
*'Good evening Mr Magpie'*

Os gwelwch un bioden, fel yna yn ddiffael yn y bore, pnawn a'r nos, yn ôl teulu John Arwyn Jones, Rhiwen, Porthmadog, y dylech ei chyfarch. Mae'n amlwg y ceir dyledus barch i'r frân yma ymhlith y Saeson. Yn wir, mae'r nifer o bïod a welwn ar ein ffordd yn penderfynu ein ffawd, yn ôl y pennill canlynol a glywyd gan John (tri a saith yw'r rhifau pwysicaf yn ein diwylliant traddodiadol) (R.J.):

*One for sorrow, two for joy,*
*Three for a girl, four for a boy,*
*Five for silver, six for gold,*
*Seven for a secret never to be told*

**robin goch yn dderyn anlwcus** Mae'n amlwg bod parchedig ofn o'r aderyn yma ar un adeg. Awgrymwyd bod y robin goch annwyl ar gardiau Nadolig yn barhad o'r parch sanctaidd ato, yn ogystal â bod yn atgof o waed y groes, ac yn ôl rhai yn atgof o wisg goch y postmyn cynnar. (Neu'n syml iawn yn arwydd o'i ddull eofn agos-atom o hel bwyd ar dywydd caled.)

**robin goch yn curo'r ffenast** Newydd drwg ar ddod. Adargoel yw'r enw ar hyn sef adar yn rhagfynegi marwolaeth. Cred yn yr **aderyn corff** traddodiadol ydyw, wrth gwrs, a cheir coelion am y dylluan yr un fath. Dyma enghraifft arall o aderyn â'r ddawn hollwybodol.

Pam bod adar yn taro ffenestr? Arferai Ted Breeze Jones ar *Byd Natur* y BBC egluro'r peth yn syml fel deryn yn gweld ei lun yn y gwydr, yn enwedig os yw'n geiliog ac yn meddwl bod un arall ar ei diriogaeth. Gellid ychwanegu bod llawer o chwileri ac wyau pryfaid o gwmpas ffenestri; mae'r titw tomos las yn hoff o'u pigo, ac yn cael blas ar yr olew yn y pwti hefyd efallai.

**Y sawl a dynno nyth robin goch,**
**Mi gaiff dincod yn 'i foch;**
**Y sawl a dynno nyth y dryw,**
**'Wêl o byth 'mo wyneb Duw**

Cafodd niweidio'r robin a'r dryw ei ystyried yn bechod ers canrifoedd ac mae'r ddau aderyn yn cael eu cysylltu'n aml mewn llên gwerin. Defod enwog gynt mewn sawl ardal, yn cynnwys Llŷn meddid, oedd *hela'r dryw* ar Nos Ystwyll i'w gludo'n foliannus at ddrysau parau ifanc i ddymuno ffrwythlondeb. Fel y Fari Lwyd, roedd hwn yn rhan o'r un traddodiad â'r ffurfiau o ganu ar wyliau'r Calan, ac un o'r rheiny oedd yr arferiad o gludo 'perllan' o ffrwythau ag aderyn bach arni. Roedd un o benillion y berllan o Gydweli ddechrau'r ganrif ddiwethaf yn cynnwys y mawl hynod hwn i'r dryw – 'Rheolwr pob adar yw hwnnw'. (Gw. *The Folk Customs and Traditions of Wales. Pocket Guide*, Trefor Owen, Prifysgol Cymru, 1991 a *Sêrs a Rybana. Astudiaeth o'r Canu Gwasael*, Rhiannon Ifans, Gomer, 1983.)

**tipyn o dderyn / rêl deryn** Disgrifiad o un nodedig am ei gampau yn hysbys neu yn y dirgel. Ystyr arall iddo yw tynnwr coes.

**tynnu'r *wish-bone*** Y ddefod deuluol gyfarwydd o ddau yn cystadlu i hollti asgwrn y fron o ysgerbwd aderyn (e.e. gŵydd neu iâr) gyda'r bys bach yn unig, a'r un sy'n cael y darn mwyaf yn cael gwneud dymuniad dirgel. Mae hyn eto'n dyst i gred yng ngallu aderyn i wybod y dyfodol.

# Hen Lwon

**Cris croes, tân poeth,**
**Torri 'mhen a torri 'nghoes**
Mae pawb yn cofio dweud rhywbeth tebyg, gan wneud arwydd y groes efo'r bys hefyd fel rheol, i wadu ein bod yn dweud celwydd. Mae'r llw amlwg yma yn atgof di-dor o'r adeg pan oedd Cymru yn wlad Gatholig, bum canrif bell yn ôl.

Ond fe geir dosbarth lluosog arall o eiriau a dywediadau sy'n golygu'r un peth yn union – ofn cosb ddwyfol – wedi eu cuddio'n slei yn ein hiaith bob dydd. Pan ddefnyddiwn ni'r holl eiriau bach cyfarwydd a elwir yn y llyfrau gramadeg yn ebychiadau i fynegi syndod, dydyn ni fawr o feddwl bod y cyfan bron yn llwon hynafol iawn. Yn ein barn ni mae llawer o'r rhain hefyd yn mynd yn ôl ymhell i'r cyfnod Catholig, ac yn wir tybiwn bod yr adran olaf yn adlais o oes gynnar gyn-Gristnogol.

Yr hyn sydd y tu ôl iddyn nhw oll yw ofn cosb ddwyfol am bechod. Ni allwn ni lwyr amgyffred yr ofn hwnnw mwyach ond rydym yn dal i gelu'r llwon rhag ofn rhegi neu bechu drwy gabledd – cymryd enw sanctaidd neu enw'r diafol neu hen dduw arall yn ofer. Dyna yw rheg: cablu yn ymwybodol a mentrus. Mae'r holl ebychiadau yn ddyfeisiadau cyfrwys i dyngu'n ddidrosedd.

Mae'r hen do, pan fyddan nhw'n rhegi o gwbwl, yn dal yn barotach i regi yn enw'r diafol (diawl) – na chredant ynddo bellach – nag yn y rhai sanctaidd. Yn ein hoes fwy digrefydd ni ceir llawer ohonom yn ebychu Arglwydd, Duw a hyd yn oed Iesu yn ddiofn yn eu ffurf lawn (er nad yn hollol gyhoeddus ar y cyfryngau eto, ac eithrio mewn drama 'fentrus'). Tybed a wnaiff hynny arwain at golli'r llu ebychiadau diddorol am y bydden nhw'n ddiangen? Digon tebyg; mae amryw ohonyn nhw'n hen ffasiwn yn barod, ond diolch am awduron fel Harri Parri sy'n eu deall i'r dim ac yn eu defnyddio'n greadigol a doniol.

Rhwng popeth, felly, buom yn 'chwarae'n cardiau' yn dra gofalus am ganrifoedd maith! Er mor glyfar y tybiwn ein bod ni, dengys yr arfer hynod hwn sydd ymhlyg yn ein hiaith fyw heddiw ein bod yr un mor ochelgar â'n cyndadau. Mae'n werth craffu i sylwi pobl mor ysbrydol oedden ni ar un adeg – yn dal i fod dan yr wyneb efallai – ac mor ddiarwybod o glyfar yw'n defnydd ni o'r iaith Gymraeg.

Mentrwn gynnig dosbarthiad bras ar y gwahanol fathau o lwon (gan obeithio na chawn ein cosbi!). Ceir amrywiadau drwy Gymru ond dyma'r rhai y cofiwn eu clywed yn Eifionydd.

## 1. Galw am gymorth dwyfol

Nid yw'r rhain yn galw ar enw dwyfol uniongyrchol, felly does dim cabledd i'w ofni. Gan nad oes angen celu dim, daliant fwy neu lai yn eu ffurf gynhenid. *Dywedir WEL yn aml o flaen y rhain, a hefyd rhai yn adran 4, 5 a 7.*

**â'm gwaredo**

**ar f'enaid i**

**ar f'engos i** Ar fy einioes.

**ar f'engoch i**

**gras** Y rhodd ddwyfol. (Tybiwn mai dyfais Harri Parri yw ei luosogi i **grasusa'** – neu o leia' mai fo a'i hanfarwolodd.)

**mawradd** (Un mawr, yn ôl y Tebot Piws.)

**(y) nefoedd**

**nefoedd annw'l**

**nefoedd las** Gw. adran 4.

**nefoedd yr adar** A oes yma gysylltiad â 'myn brain' yn adran 7, tybed?

**nefi**

**nefi bliw**

**nefi blw**

**nefi Jiorj** Ie wir, Lloyd George wedi'i ddyrchafu'n dduw!

**nefi wen**

Galw am gymorth dwyfol

**rhad arnat ti** Bendith dwyfol yw 'rhad' a'r ystyr felly yw 'yr wyf yn gresynu atat ti ac yn gobeithio y cei di faddeuant'.

**y rhad a'i drugaradd** (K.R.)

**tad** Y Tad.

**bendith tad**

**'nen tad** / **'neno'r tad** Yn enw'r Tad.

**(er) mwyn tad**

**tad annw'l** Y Tad annwyl.

**trugaradd**

**'nen trugaradd** Yn enw trugaredd.

**trugaradd annw'l**

**Trugaradd i filoedd a gras i hen bobol!** (Estyniad diddorol K.R. eto.)

## 2. Galw ar enw'r Bod Mawr

Dosbarth peryclach, i gyd yn celu'r enw DUW. Felly rydym wedi dyfeisio llu o'r ffurfiau rhyfeddaf er mwyn gwneud hynny, yn debyg i'r 'jiw jiw' adnabyddus yn y De. Mae'n siŵr o fod yn arwyddocaol y *ceir yr ansoddair ANNWYL yn gyffredin ar ôl llawer o'r rhain.*

**cato ni** Duw â'n cadwo ni.

**cato(n) pawb** Duw â'n cadwo ni bawb.

**dem** / **em**

**dew / ew**

**ewc / ewcs**

**dewch / ewch**

**dul**

**dum / um**

**duwadd / uwadd**

**duwc / uwc**

**duwcs / uwcs**

**duwch / uwch**

**duwch annw'l**

**duwch annw'l dad** Ysgafnach, mwy diamynedd, llai syn na ''wannwl dad'. Caiff hynny ei gyflawni drwy gyfrwng y sain Gymreigaidd 'ch'. Yn wir, mor ddyfeisgar yw'n synau bach di-nod fel 'c', 'cs', 'l', 'm' ac 'n' sy'n lliniaru gair yn ymwybodol, i ysgafnu enw Duw y llw yn ôl y galw!

**dym** (sain 'y' dywyll)

**dyn**

**bendith dyn**

**'nen dyn / 'neno'r dyn** Yn enw Duw.

**(er) mwyn dyn** Er mwyn Duw.

**'wannwl** Duw annwyl.

**'wannw'l dad** 'Duw annwyl Dad' eto ond yn mynegi cryn syndod.

**wandris** Dim ond un a glywsom yn dweud hyn. (W.G.)

**wir ddyn** Yn wir i Dduw. Fel y dywedai tafarnwr *Fo a Fe* wrth Ryan: 'W-w-wir i ddyn i ti, Twm Twm!'

**wir-ionadd i**

**wir yr** Mae hwn yn gryfach er mwyn sicrhau rhywun ein bod yn dweud y gwir. Tybed pa lw cadarn a aeth yn angof y mae'r fannod 'yr' yna yn ei guddio?

## 3. Galw ar enw'r Gwaredwr

Mae'r rhain yn rhai digon peryg hefyd am eu bod yn celu'r enw IESU. *Felly mae ANNWYL eto'n boblogaidd ar eu holau.*

**asu / esu** Nid yw'r to hŷn yn dueddol o ddweud esu gan ei fod mor agos i'r enw llawn ac felly bron yn rheg.

– **bach**

– **gwyn** Gall gwyn olygu dwyfol, sanctaidd (fel llwyd e.e. Mari Lwyd).

**esgob / iesgob** Mae amrywiadau slei fel hyn o Iesu yn defnyddio gair tebyg mwy derbyniol.

**esgob Dafydd** Pwy oedd y Dafydd yma? Dewi Sant?

**iechyd**

**iechydwriaeth** Addasiad clyfar sy'n fwy derbyniol drwy gyfeiriadaeth grefyddol yr enw Cristnogol iachawd-wriaeth.

**yr Israel** Amrywiad beiblaidd cyfrwys arall.

**raslas (bach a mawr)** Fel y dywedai Syr Wynff ap Concord y Bos (Wynford Elis Owen) erstalwm. Ai yr Israel *las* ydyw (gw. isod)?

**rasmws Dafydd** Dyna i chi gelu enw'r Iesu yn gyfrwys yn enw'r athronydd Erasmus (a Dewi?!).

## 4. Galw ar enw dwyfol Seisnig

Mae'r rhain i gyd yn amrywiadau ar *damn, God damn* a *God rot. Dywedwn LAS yn aml ar ôl y rhain, er mwyn eu Cymreigio efallai.* Ond cofier am boblogrwydd yr un lliw yn Saesneg hefyd, yn aml i gyfleu'r anarferol neu ofnadwy fel *blue devils, blues, blue moon, blue murder.* Nid yw'n amlwg i ni pam y lliw yma'n arbennig; os nad yw'r 'nefoedd las' yna yn awgrymu lliw'r nen ddirgel uwch ein pennau. Ond mae'n bur amlwg mai *God* ydyw'r **go** sy'n boblogaidd efo'r rhain.

**dam / damia** Deil hwn a'r nesaf yn eu ffurf lawn, felly cânt eu hystyried yn rheg a than yn ddiweddar nis clywid mor aml â'r gweddill. S. *damn.*

    **go dam / go damia** S. *God damn.*

**dacia / go dacia** Yr un geiriau heb regi.

**daria / go daria**

    **(go) daria unwaith** Ni wyddom o ble daw'r unwaith yma, os nad i ategu mai dim ond gofyn am un ddamnedigaeth fach a wnawn ni! Beth bynnag, mae'n disodli'r 'las' arferol.

**drapia, go drapia** Fel drato yn y de, sy'n nes at y S. *drat* gwreiddiol, o '*God rot*'.

**fflamia' / go fflamia'** Mae hwn yn glyfar, yn awgrymu fflamau uffern yn ogystal.

## 5. Ofn dydd barn ac uffern

Ni allwn ni ymdeimlo ag ofn barn fel pobl yr Oesoedd Canol. Un awgrym a oroesodd o'r ofnadwyaeth yw'r gargoelion hyll sy'n edrych i lawr ar y werin o furiau hen eglwysi. Er i rywrai ddringo i anharddu aml un, roeddent fel arfer yn ddigon uchel (a bygythiol?) i osgoi distryw y Protestaniaid a ddrylliodd y creiriau a'r croesau hynafol sy'n nodwedd mor arbennig o Lydaw ac Iwerddon Gatholig. Ond ac eithrio'r holl enwau llefydd sy'n dwyn yr enw 'croes', yr olion amlycaf o'r hen ffydd yw'r llwon. O blith y llwon, mae'n ddiddorol mai'r rhai a geir yn y grŵp yma – llwon yn ofni dydd barn ac uffern – a duedda i fynegi'r mwyaf o syndod. Mae'n arwyddocaol iawn hefyd y *ceir yr ansoddair MAWR yn aml ar eu holau.*

**achlod / 'rachlod (fawr)** Sen neu warth yw achlod. Onid oes naws y Dydd Brawd ofnadwy ar 'yr achlod fawr'?

**ar fy llw**

**argian / 'rargian (fawr)** Gall mai Arglwydd yw ystyr hwn fel y dywed GPC, ond mae'r treiglad meddal benywaidd yn swnio'n debyg i'r argoel isod.

**argol / 'rargol (fawr)** Rhagfynegiad neu gred ofergoelus yw argoel. Mae'r treiglad eto'n dangos nad yr Arglwydd ei hun sydd yma efallai eithr y farn fawr, nad ydym ni'n ei deall ond y gallwn glywed mymryn o'i braw o hyd.

**argoledig**

**'dawn (tawn) i byth o'r fan** Beth, tybed, fyddai eich dehongliad chi o hwn? Caiff aros yma am y tro. Mae blas amddiffynnol arno fel rhywun o flaen ei well!

*Tair o Frythoniaid dan glogwyni Tremadog, 50au cynnar. O'r chwith: Mair, Katie Roberts – a Kate Rowlands, Drefain, Plas Gwyn, Y Ffôr y ceir ei Chymraeg yn y llyfr. Roedd hi a Mair ym Minffordd, Penmorfa, tyddyn ewyrth a modryb i ni, i helpu i wneud cinio priodas Katie oedd yn gweini yno.*

**yn boeth y bo** Hawdd dweud hwn heb gofio mai dymuno gyrru rhywun i dân uffern y byddwn!

**brenin**

    **brenin annw'l** Mae'r annwyl yn brawf go dda mai'r brenin dwyfol yw hwn ac nid brenin daearol.

    **brenin mawr**

    **brenin y bratia'** Tybiwn mai dylanwad bobol y bratia' isod sydd yma.

    **brensiach** Addasiad diddorol i ysgafnu'r llw eto.

    **brensiach y bratia'**

**myn cebyst** Melltith yw cebystr yn y cyswllt yma.

    **myn cabaits (i)** Dirywiad cellweirus achlysurol o 'myn cebyst' sy'n digwydd wedi i'r cefndir crefyddol fynd yn annelwig inni.

**felltigedig** Modd i roi pwyslais anarferol heb dyngu na rhegi. Y treiglad meddal a geir bob amser, heb y rhagenw 'yn': 'Mae'n oer ychan' – 'Yndi, felltigedig.' Cofiwn glywed neu ddarllen yn rhywle enghraifft dda ohono gan un Ifan Jones, Cae'r Ffynnon yn sôn am faen gwastad tua Garndolbenmaen a oedd yn boblogaidd gan gariadon:

Ar ben hen fryn Ffridd Erwig
Mae carreg handi iawn,
A thraffig felltigedig
Gaiff hon ar leuad llawn.

**grym**

    **grym annw'l**

**grym mawr** Cadwodd hwn yr arswyd dwyfol yn fwy na'r un, ac efallai hefyd bod yr 'annw'l' uchod eto'n arwydd mai ofn Duw, nid y diafol, sydd yma.

**uffar' / uffarn / myn uffar(n) (i)** Yma ceir uffern yn ei ffurf gyflawn heb ddyfais i'w gelu fel sydd yn ufflwn (ac yffach y De), ac maen nhw felly'n dal i fod yn rhegfeydd annerbyniol yng ngolwg rhai.

**uffarn dân**

**ufflwn / myn ufflwn**

## 6. Galw ar enw'r Diafol

Enw arall ar y Gŵr Drwg, Satan, y Diafol yw'r Diawl, ac amrywiad o'r enw hwnnw yw'r rhan fwyaf o'r rhain. Mae 'cythraul' hefyd yn cyfeirio ato ef, neu un o'i weision y cythreuliaid. Tystia'r Beibl mai un o'r angylion gynt ydoedd, a byddai'n deg tybio'i fod yn ddatblygiad Cristnogol ar rai o dduwiau'r hen fyd. Mae'r Beibl yn sôn am lawer o'i nodweddion anifeilaidd a rhoes arlunwyr oesau cred fonion cyrn a chynffon sarff iddo, sy'n debyg i'w tacteg arferol o feddiannu ac addasu arferion paganaidd.

Roedd yr hen Gymry yn adnabod nodweddion o'r fath yn iawn. Mae llawer o ddelwau hen dduwiau â chyrn tarw wedi cael eu darganfod ar dir y Brythoniaid, a digonedd o rai â chyrn ceirw drwy wledydd Ewrob y Celtiaid. Roedd duw carw diddorol y Cyfandir, Cernunnos hefyd yn ddieithriad yn cydio mewn neidr. Maent oll a llawer mwy i'w gweld orau ar gawg arian enwog Gundestrup. Cawsom y fraint o weld hwnnw'n agos yn yr arddangosfa fawr yn Fenis o drysorau'r Celtiaid, a syllu am hydoedd ar chwedlau'r Mabinogi yn fyw o'n blaenau.

Fel ar y cawg mae llawer o'r duwiau Celtaidd yn eistedd ar geffyl. Un ddelw Gymreig ar farch neu garw oedd Derfel

Gadarn, cerflun pren mawr o Landderfel a losgwyd gan y Protestaniaid. Delw o'r sant ydoedd a gâi ei gario'n fawr ei fri yng ngorymdeithiau Catholig yr Oesoedd Canol ym Meirion, a'r ddau chŵydd ar ei ben a'r ffon yn ei law i fod yn benwisg a phawl esgobol. Ond fel y dangosodd Ifor Owen ac eraill, tybed nad wedi goroesi o'r hen dduwiau yr oedd ac mai cyrn carw a neidr oedd y rhain? Yn wir, efallai na fyddai'n rhy ffansïol i awgrymu bod gwedd esgob byth ers oes y saint Cristnogol yn efelychiad ymwybodol o'r hen ddelwau.

Mae'r 'myn' yma yn golygu 'yn enw'. Yn naturiol, *ni cheir annw'l ar ôl y rhain, ond ychwanegwn y gair bach 'i' at bob un bron* (e.e. myn diawch i) fel pe byddem yn arddel rhyw gyfrifoldeb personol am y cnafon yma!

(**yr**) **andros** / (**yr**) **andros fawr** Drygioni (an + gras) yw andras, felly'r Andras yn oesoedd cred yw'r Gŵr Drwg.

**diagan** / **myn diagan**

**diân i** / **myn diân**

**diain** / **myn diain**

**diaist**

**diawcs**

**diawch** / **myn diawch**

**diawl** / **myn diawl** Dyma enw'r Diawl heb ei gelu fel yn y lleill, a'r unig un felly sy'n dal i gael ei gyfrif yn rheg. Mae'r ffaith bod hynny'n dal yn drosedd yn brawf ein bod yn cydnabod ofn a dwyfoldeb yr angel syrthiedig hyd heddiw!

**diawst** / **myn diawst**

## 7. Galw ar hen dduwiau

Mae'r duwiau gynt wedi cael eu hanghofio'n llwyr bron. Mae gennym ein chwedlau hynafol a gofnodwyd yn yr Oesoedd Canol sy'n enwi ac yn disgrifio galluoedd duwiau Celtaidd, ond dim ond un enw posib y galwn ni arno mwyach (gw. Brân isod).

Soniwyd am y Tylwyth Teg yn yr adran flaenorol. Nodwedd bwysicaf y rheiny yn y cyswllt dan sylw yw'r galluoedd goruwchnaturiol oedd ganddyn nhw'n ddieithriad. Felly, yn ogystal â bod yn olion gwareiddiad cynharach, mae'n debyg eu bod yn adlais o'r duwiau cyn-Gristnogol hefyd, a pha well tystiolaeth o hynny na bod y Cymry yn dal i alw ar eu henwau hwythau?

**bendith y bobol** Y Tylwyth Teg yn ddiamau. Bendith y Mamau yw'r enw gwych arnyn nhw mewn ambell ardal.

**bobol** Nid oes arlliw o ofn ar ein llwon am y 'bobol' yma, a pha ryfedd a hwythau'n galw ar dduwiau mor fach ac encilgar.

**bobol bach**

**bobol annw'l** Mae'r ddau ansoddair yn gyson â'r ddamcaniaeth mai at y Tylwyth Teg y cyfeiriwn.

**bobol y bratia'** Wedi anghofio'u hystyr wreiddiol, mae'n naturiol i ni ymestyn y diystyr yn gyseiniol liwgar fel hyn. Neu a oes iddo ystyr heblaw'r dilledyn 'brat'?

**myn brain (i)** Ceir enghraifft o 'myn deryn' yn GPC a dyma'r unig dderyn penodol y tyngir llw iddo. Ydi hyn yn atgof arall am Brân neu Fendigeidfran (sef Brân Fendigaid)? *Gallai fod yn arwyddocaol ein bod yn ychwanegu'r 'i' bach yna ar ôl hwn a'r nesaf, fel y gwnawn efo'r cythreuliaid a'r coblynnod,* fel pe byddem yn ymwybodol nad ydynt yn perthyn i'r byd

Cristnogol. Os felly dyma ni heddiw yn dal i alw ar enw un o dduwiau'r Brythoniaid. O.N. Gw. brain ac adar goruwchnaturiol eraill yn adran Hen Goelion.

**bendigeidfran!** Ebwch diweddar yn chwarae ar enw'r duw ynghyd â'r ansoddair bendigedig.

**myn coblyn (i)** Ellyll neu Dylwyth Teg drygionus. Weithiau mae'n ansoddair: 'Mae'n oer **goblyn** ychan' – 'Yndi wir, **yn goblynedig**'. Gellid ystyried ellyllon fel hyn yn ddylanwad cythreuliaid uffern, yn ôl y Beibl, ond maent yn fwy tebyg o fod yn hŷn o lawer ac yn atgof o ryw hen dduwiau i'w hofni.

**myn cythral** Gan nad ydym yn siŵr *pa* gythraul, does dim achos i'w ofni gymaint (na chelu'r enw llawn fel yn adran 2 a 3), ac nid yw'n rheg bellach.

**cythril** 'Dwi'n siŵr 'i fod o'n gythril,' meddai'n hewyrth Wmffra am ryw dderyn go arw. Roedd o'n siaradwr uniaith ac fel y dengys yr enghreifftiau eraill ganddo, yn ddyn â balchder naturiol yn ei iaith, yr hen Gymraeg. (W.G.)